PRIVILÉGIO SAGRADO

PRIVILÉGIO SAGRADO

Desafios e alegrias de ser esposa de pastor

KAY WARREN

Traduzido por Susana Klassen

Os textos das referências bíblicas foram extraídos da *Nova Versão Transformadora* (NVT), da Editora Mundo Cristão (com permissão da Tyndale House Publishers, Inc.), salvo as seguintes indicações: *Almeida Revista e Atualizada*, 2ª ed. (RA) e *Nova Tradução na Linguagem de Hoje* (NTLH), ambas da Sociedade Bíblica Brasileira; e *A Mensagem*, de Eugene Peterson, da Editora Vida.

CIP-Brasil. Catalogação na publicação
Sindicato Nacional dos Editores de Livros, RJ

W252p

Warren, Kay
Privilégio sagrado : desafios e alegrias de ser esposa de pastor / Kay Warren ; tradução Susana Klassen. - 1. ed. - São Paulo : Mundo Cristão, 2020.
272 p.

Tradução de: Sacred privilege : your life and ministry as a pastor's wife
ISBN 978-85-433-0487-8

1. Casamento - Aspectos religiosos - Cristianismo. 2. Cônjuges de pastores - Vida religiosa. I. Klassen, Susana. II. Título.

19-60735 CDD: 253.2
CDU: 2-725-055.2

Categoria: Inspiração
1ª edição: fevereiro de 2021

Edição
Daniel Faria

Preparação
Natália Custódio

Produção e diagramação
Felipe Marques

Colaboração
Ana Luiza Ferreira

Adaptação de capa
Ricardo Shoji

Publicado no Brasil com todos os direitos reservados por:
Editora Mundo Cristão
Rua Antônio Carlos Tacconi, 69
São Paulo, SP, Brasil
CEP 04810-020
Telefone: (11) 2127-4147
www.mundocristao.com.br

Para quatro esposas de pastor que são uma
inspiração para mim:

Amy Warren Hilliker,
Bobbie Lawson Lewis,
Dorothy Armstrong Warren
e Chaundel Warren Holladay.

Sumário

Um tributo pessoal de Rick Warren

Antes de você ler este livro, quero que saiba
que nenhuma das contribuições de minha vida teria
acontecido
sem a enorme influência que Kay exerceu sobre mim,
sua *crença* em mim,
suas *orações* por mim,
sua *graça* para comigo,
seus *conselhos* para mim,
seu *apoio* a mim,
sua *parceria* comigo.

Sem Kay, jamais teria existido
a Igreja Saddleback,
o livro *Uma vida com propósitos*,
a organização Global PEACE Plan,
o programa Daily Hope Broadcast,
o movimento Celebrando a Recuperação,
os ministérios Daniel Plan e Orphan Care Initiative,
os ministérios HIV&Aids e All-Africa Initiatives,
o ministério Purpose Driven Fellowship of Churches,
ou qualquer outro ministério e recurso
nascido na Saddleback.

Não conheço nenhuma pessoa mais *comprometida*
com a tarefa de encarar *corajosamente* seus defeitos e medos,
mais determinada a crescer em *Cristo* a qualquer custo,
e mais *dedicada* a tratar todos com dignidade
que minha esposa.
Ela me tornou um homem, marido, pastor e líder melhor.
E ela é *maravilhosa*.

"[Pastores], ame cada um a sua esposa, como Cristo amou a igreja."
Efésios 5.25

Prefácio

Quando comecei a compartilhar este material com esposas de pastor quase trinta anos atrás, eu era nova no ministério e tinha muitas perguntas e poucas respostas. Chamei minha mensagem de "O papel dinâmico da esposa de pastor". À medida que a Igreja Saddleback cresceu e nosso ministério se expandiu, mudei o título para "Crescendo com sua igreja". Então, a vida e o ministério se tornaram bastante intensos, fato que se refletiu no título seguinte: "Como evitar que seu ministério acabe com você!". Agora, depois de servir a Deus no ministério há décadas, percebi que o título mais apropriado é "Privilégio sagrado: desafios e alegrias de ser esposa de pastor".

Se pudéssemos sentar juntas para tomar um café, e você se sentisse à vontade o suficiente para se expor, imagino o que me contaria sobre ser casada com um pastor e trabalhar no ministério. Pergunto-me que título você daria para sua palestra ou seu livro.

Muitas de vocês sabiam antes de se casar que o marido estava a caminho do pastorado, mas para algumas foi uma surpresa total! O marido estava envolvido em outra carreira quando Deus chamou sua família para mudar radicalmente de rumo e ingressar no ministério. Em alguns casos, o marido é o pastor titular, e em outros, membro de uma equipe pastoral. Algumas de vocês são novatas. Acabaram de plantar uma igreja por sua própria conta ou ajudaram a abrir uma congregação de uma igreja maior. Ou talvez tenham crescido em um lar não cristão, e tudo o que diz respeito à vida no ministério ainda lhes pareça uma incógnita. Algumas de vocês são veteranas. Realizam esse trabalho há décadas e estão se aproximando da aposentadoria. Conhecem o ministério como a palma da mão. Outras estão bem no meio da jornada; não são novatas, mas ainda não estão próximas da linha de chegada. Já têm alguns anos de experiência e, portanto, uma boa ideia de como será a vida de esposa de pastor.

Pouco tempo atrás, fiz uma pesquisa informal com mais de três mil esposas de pastor que seguem Rick e eu nas redes sociais e identifiquei quatro tipos distintos de respostas a perguntas sobre a vida no ministério. Há um grupo verdadeiramente empolgado. Consideram o ministério um privilégio e uma honra e amam a vida de esposa de pastor. Sim, ela tem altos e baixos, mas há mais aspectos positivos que negativos no pastorado em tempo integral e, no cômputo geral, não se arrependem de sua escolha.

O segundo grupo é um pouco menos empolgado que o primeiro. As pressões e dificuldades tornaram o ministério mais desafiador do que esperavam e, se forem sinceras, dirão que ainda não tomaram uma decisão final. Talvez permaneçam no ministério, talvez não. Se permanecerem, sabem que sobreviverão, mas se o marido resolver seguir outra carreira, é possível que fiquem aliviadas.

Há um terceiro grupo, menos numeroso, cujas integrantes sofreram grandemente com a vida no ministério em tempo integral. Seus sonhos foram despedaçados, sua paciência com críticas, mudanças e dificuldades financeiras se esgotou há muito tempo. Sua família "abriu mão" das coisas vezes demais. Estão sempre lutando para que a amargura e a desilusão não tomem conta. Quando veem anos desse mesmo tipo de vida adiante, sentem um frio desesperador no estômago. Para dizer a verdade, chegaram ao fim da linha.

E há mais um grupo constituído de mulheres tão frustradas com o estado da igreja ocidental — iradas com seu silêncio ou sua atitude em relação à injustiça, ao racismo, à pobreza, à sexualidade, ao meio ambiente ou a quaisquer outras questões sociais — a ponto de começarem a se distanciar emocional ou fisicamente da igreja como a conhecem.

Enquanto lia os comentários de milhares de companheiras de ministério, peguei-me acenando com a cabeça, pois as entendo e me solidarizo com vocês. Sei quão verdadeiras são muitas das coisas que disseram. Identifico-me com muitos de seus sentimentos e reações. Suas histórias fazem sentido para mim; eu mesma vivenciei muitas situações parecidas. Isso porque o ministério é a única vida que conheço. Não importa para onde me volte, estou cercada pelo ministério. Sou filha e esposa de pastor. Minha filha é esposa de pastor. Minha cunhada é esposa de pastor. Meu sobrinho é pastor. Minha sobrinha é esposa de pastor. Três de meus netos são filhos de pastor. Meu filho é presidente de um ministério que trabalha com pastores. Desde que nasci, e ao longo de seis décadas, o ministério definiu minha existência. Isso significa que conheço bem o mundo das igrejas locais e das pessoas que as frequentam, com tudo o que têm de melhor e de pior. Encontrei cristãos extraordinários no ministério, homens e mulheres simples que, de modo corajoso, persistente e sacrificial, servem a Jesus com todo o seu ser. Testemunhei escândalos e revelações envolvendo figuras de destaque no ministério, bem como erros e pecados que nunca se tornaram públicos. Em mais de quarenta anos servindo na igreja, creio que vi de tudo e, ainda assim, digo que é um privilégio sagrado dedicar a vida ao ministério em tempo integral.

Ao ler este livro, é importante que você saiba meu posicionamento. Amo a igreja de Jesus Cristo. Amo *de verdade* a beleza, a promessa e o potencial da igreja. Para ser honesta, meu amor e respeito pela igreja oscilaram ao longo dos anos. Houve momentos em que fiquei desgostosa com a igreja e com alguns de seus escândalos; detestei as injustiças e os preconceitos; envergonhei-me com o fracasso de líderes bastante conhecidos; e fiquei absolutamente frustrada com a visão limitada, a mentalidade tacanha e as discussões mesquinhas sobre a cor da cozinha da igreja, enquanto o mundo ao nosso redor vai por água abaixo. No fim das contas, porém, aprendi a admirar sinceramente a genialidade de Deus ao criar a entidade chamada "igreja", o único lugar na terra cujo propósito é que as pessoas encontrem salvação e refúgio; onde o serviço sacrificial é praticado diariamente; onde as diferenças de cultura, raça, classe econômica, gênero e etnia são abolidas; e onde a verdadeira união e harmonia podem ocorrer.

Meu objetivo não é escrever "o livro definitivo" para esposas de pastores, o único que você precisará para navegar pelas águas turbulentas e, com frequência, turvas do ministério. Não se trata de um livro de conselhos em tamanho único, pois não tenho a pretensão de falar em nome de todas as esposas de pastor! Cônjuges de pastores vêm em todos os tamanhos, variedades e formas imagináveis — e alguns são homens casados com pastoras! Ao longo das décadas de meu ministério, o papel das esposas de pastor, bem como das mulheres de modo geral, evoluiu radicalmente. Desde as esposas de pastor que trabalhavam nos bastidores e passavam boa parte do tempo no lar na geração de minha mãe até as mulheres que atuam como pastoras assistentes ou titulares, e toda a ampla gama entre esses dois extremos, o papel da esposa de pastor não permaneceu estático.

Isso significa que toda geração precisa se adaptar a uma cultura em constante transformação e contextualizar o ministério, o que inclui livros sobre servir no ministério. Alguns dos livros para esposas de pastor que me orientaram e inspiraram quarenta anos atrás são absurdamente obsoletos. Nenhuma jovem esposa de pastor hoje conseguiria lê-los sem dar risada de instruções sobre ter sempre à mão latas de molho de tomate para fazer uma macarronada para membros da igreja que aparecessem de surpresa na hora do jantar. Ou dicas sobre quanta maquiagem usar e conselhos para vestir roupas de cor escura e acessórios simples.

Embora os tempos e a cultura tenham mudado, creio que há algumas lições perenes a oferecer, lições que aprendi primeiro como filha de pastor e, depois, como esposa de pastor de jovens, de plantador de igrejas e, por fim, de pastor titular. Desejo transmitir as verdades descobertas com esforço, os princípios fundamentais, as âncoras para sua alma, as técnicas de sobrevivência e as certezas que não podem ser esquecidas e que a manterão firme, estável e até mesmo alegre ao longo da jornada. Talvez eu consiga poupá-la de alguns erros, apontar para uma direção saudável, oferecer consolo e alívio quando o mundo virar de ponta-cabeça e ajudá-la a aproveitar ao máximo o tempo que Deus lhe concedeu. Algumas de vocês se identificarão com minhas experiências, enquanto outras concluirão que elas não correspondem a sua realidade. Não tem problema.

Só mais um comentário antes de prosseguirem com a leitura. Este não é um livro escrito por uma mulher perfeita para lhes falar de sua vida perfeita. Pretendo ser *muito* honesta, por vezes até de modo incômodo. Minha maior queixa a respeito de livros escritos para pastores ou esposas de pastor é o fato de não serem honestos o suficiente a respeito do quanto a vida no ministério pode ser difícil; dos desafios que nosso casamento e nossa família enfrentam; ou das lutas, dificuldades, ansiedades e dúvidas que surgem. Serei o mais direta, franca e transparente possível sem ultrapassar os limites do que é apropriado. Talvez você discorde do que considero apropriado. Por certo, não quero envergonhar meus pais, meu marido, meus filhos ou minha igreja com o que irei compartilhar. Minha intenção é refletir a gama de emoções e reações que vivenciei. Talvez você esteja experimentando algumas dessas mesmas emoções, e espero criar um ambiente de aceitação e segurança durante sua leitura. Quero que saiba que não está sozinha. E, acima de tudo, peço a Deus que encontre algumas pérolas atemporais de incentivo e esperança para fortalecê-la no serviço a Jesus e a sua igreja, e que se enxergue como uma pessoa à qual foi concedido um privilégio sagrado.

1
A história de uma garota de igreja

Sou uma garota de igreja. Sempre fui.

Posso provar esse fato, pois tenho o certificado desbotado entregue pelo berçário da igreja de meu pai quando eu tinha uma semana de vida. A maior parte de minhas primeiras recordações está ligada às pessoas e às pequenas igrejas que meu pai pastoreou em San Diego, Califórnia. Marchei com todo orgulho até a frente do templo carregando a bandeira cristã ao som de "Avante, soldados de Cristo" durante várias escolas bíblicas de férias. Adormeci no banco duro de madeira enquanto meu pai ou um evangelista visitante pregava com fervor todas as noites durante as duas semanas de campanha de avivamento. Aprendi a sequência dos livros da Bíblia quando tinha 8 anos e era capaz de encontrar Obadias mais rápido que qualquer um de meus amigos. Estudei e memorizei dezenas de versículos para receber o prêmio da escola dominical. Tornei-me pianista da igreja aos 12 anos. Participei de centenas de almoços de confraternização e jantares de quarta-feira, em que comi frango assado aos montes, tomei toneladas de sorvete caseiro nas noites quentes de verão depois do culto e bebi mais Ki-Suco vermelho do que é recomendável para qualquer ser humano.

Lembro-me de sentir a pressão para ser a perfeita filha de pastor que sabia todas as respostas de competições bíblicas.

Lembro-me também da forte pressão para ser exemplo para outros e, especialmente, para não revelar defeitos de nossa família que pudessem envergonhar meus pais. E lembro-me ainda de ficar confusa, pois alguns diziam que eu *precisava* fazer algo porque era filha do pastor enquanto outros diziam que eu *não podia* fazer algo porque era filha do pastor. Muitas vezes, parecia não haver saída.

É provável que outros filhos de pastor tenham experiências parecidas, mas alguns incidentes não foram relacionados diretamente ao trabalho de meu pai e deixaram marcas que demorei anos para superar.

Não me recordo de uma época em que não sentisse o peso do mundo sobre os ombros. Desde pequena, eu era uma menina séria e sensível que sentia as coisas de modo diferente e mais profundo que outras crianças. Na adolescência, parecia haver um interruptor dentro de mim, que fazia meu humor mudar de alegre para triste em um instante, muitas vezes por causa de coisas triviais. Mesmo depois de me casar, havia períodos que chamávamos de minha "angústia existencial" em que nada importava, tudo parecia sombrio e meu nível de energia era extremamente baixo. Sempre passava e, em pouco tempo, eu voltava ao normal. Hoje reconheço os sinais de depressão leve, mas essa palavra não fazia parte de meu vocabulário naquela época, e mesmo que alguém tivesse ventilado a possibilidade eu a teria considerado absurda. Eu era cristã! Cristãos não tinham depressão.

Sofri abuso sexual por parte do filho do zelador da igreja quando eu tinha 4 ou 5 anos. Lembro-me de não contar para meus pais porque era algo "mau" e porque era pequena demais para saber expressar o que havia acontecido. Esse foi meu primeiro segredo.

Outro desconcertante segredo de família era o fato de meu pai ter sido divorciado antes de conhecer minha mãe e de eu ter uma meia-irmã. Seu casamento anterior e a existência dessa filha eram assuntos sobre os quais não podíamos falar em casa, e com certeza não podíamos comentar com outros membros da igreja. Sabia que precisava ajudar a proteger meu pai de pessoas que não entenderiam seus motivos para se divorciar e, portanto, tomava grande cuidado com minhas palavras e com o que revelava a outros sobre minha família.

Na adolescência, houve uma noite em que me senti ousada e audaciosa na casa de um vizinho enquanto cuidava das crianças. Notei que havia uma garrafa de vinho na geladeira e me convenci de que tomar um gole não faria mal a ninguém, nem me levaria ao inferno. Com mãos trêmulas e coração disparado, experimentei um pouco da bebida. No mesmo instante, convenci-me de que era a pior pecadora da face da terra. Cuspi o vinho o mais rápido que pude e lavei a boca repetidamente, aterrorizada com a possibilidade de que meus pais sentissem o cheiro de álcool em meu hálito depois daquele gole minúsculo. Para quem cresceu em um lar com uma visão mais tolerante sobre o consumo de bebidas alcoólicas por cristãos (beber sem embriagar-se), esse episódio talvez pareça absurdo, mas para mim, educada em um ambiente extremamente protegido, foi um ato de clara rebeldia! A filha do pastor tinha mais um segredo vergonhoso.

Um gole de vinho fez com que eu me sentisse uma rebelde desprezível, mas minha autoimagem estava prestes a sofrer degradação ainda maior. Meu conflito interior mais profundo e complicado na adolescência começou quando encontrei pornografia na casa desses mesmos vizinhos para os quais eu trabalhava de babá. Vi as revistas em uma mesa ao lado do sofá (sim, eles as deixavam à mostra) e fiquei fascinada e, ao mesmo tempo, enojada. Lembre-se de que, naquela época, não havia internet nem *smartphones*, e pornografia não era algo facilmente disponível, que podia ser obtido e consumido a qualquer hora. Em sua maior parte, existia na forma de revistas, com as quais eu nunca havia tido contato, nem mesmo numa banca de jornal. Com certeza era tabu para uma moça cristã que desejava sinceramente viver para Jesus em pureza e santidade. Uma noite, porém, peguei uma dessas revistas. A culpa, o remorso e a aversão a mim mesma foram instantâneos. Pensei: "Como posso fazer uma coisas dessas? Amo Jesus! Quero ser missionária! Nunca mais vou olhar pornografia!". Mas olhei na oportunidade seguinte. E na outra. E na outra também. Em pouco tempo, estava viciada. Eu, a boa menina que amava Jesus de todo o coração, tinha uma fascinação secreta por pornografia, e a vergonha quase me matou.

Como disse, naquela época não havia material pornográfico prontamente disponível. De vez em quando, porém, deparava com algo e, então, repetia-se o ciclo em que eu era tentada, cedia, me envergonhava e me enchia de remorso. Não conseguia conciliar a tentação com minha fé; a agonia era insuportável. E, para piorar, não podia contar a ninguém. Imagine confessar a outro cristão minha fraqueza e meu pecado recorrente! Nunca me passou pela cabeça contar a meus pais; desabafar com uma amiga ou com um adulto estava fora de questão. De jeito nenhum. Assim, continuei nesse estado de conflito interior e fracasso, ciente de que me encontrava em sérias dificuldades. Queria sair dessa situação, mas não sabia como mudar.

Então, quando eu tinha 17 anos, conheci Rick Warren em um treinamento para participar da equipe de evangelismo que viajaria nas férias para igrejas batistas em cidades na Califórnia. Lembro-me claramente de não ficar impressionada com ele (sinto muito, meu amor). E, verdade seja dita, ele também não se encantou comigo. Era um extrovertido barulhento e agitado, que tocava violão e chamava a atenção por onde passava e que, com seu senso de humor e sua pregação fervorosa, logo cativou o grupo. Eu, em contrapartida, era tímida e calada, e entendia bem o suficiente minhas emoções femininas adolescentes para não me interessar por alguém espalhafatoso como Rick.

No ano seguinte, porém, nós nos reencontramos como calouros no California Baptist College, uma pequena faculdade em Riverside, Califórnia, e formamos uma amizade superficial. Todos os seiscentos alunos de nosso *campus* o conheciam, e em pouco tempo ele se tornou um líder cristão respeitado, enquanto eu mantive meu perfil mais discreto, dedicando-me a Jesus, aos estudos, ao grupo de canto do qual participava e às minhas amigas chegadas. Mais adiante no primeiro ano, comecei a namorar um rapaz muito bacana, mas o relacionamento terminou alguns meses depois. Imaginei que meu coração estivesse despedaçado para sempre. Para encurtar a história, Rick relata que, um mês antes de esse rapaz terminar o namoro comigo, recebeu uma palavra do Senhor: "Você vai se casar com Kay Lewis". Ele rejeitou a ideia de imediato, pois (1) eu estava namorando outra pessoa, e (2) ele não tinha interesse romântico por mim. Certo dia, porém, quando ele virou a esquina de um dos prédios da faculdade, quase trombou em mim. E, como ele diz, a flecha do cupido transpassou seu coração e ele se apaixonou perdidamente. Fofo, não? Eu não suspeitava de nada. Não fazia a mínima ideia desse súbito interesse dele por mim. Mas, de repente, esse sujeito (que tinha dito a um amigo que não saía com ninguém, pois não via motivo para desperdiçar dinheiro com uma garota com a qual não ia se casar, e que Deus certamente lhe mostraria a pessoa certa) começou a sentar-se ao meu lado no refeitório e puxar conversa comigo. Entrei em pânico de imediato, pois tinha ouvido falar de sua ideia de "não desperdiçar dinheiro com uma garota com a qual não ia se casar". Então, por que dava a entender que estava interessado em mim? Eu não estava a fim dele, nem de nenhum outro rapaz. Ainda estava me recuperando daquele doloroso fim de namoro. Minha vontade era que ele sumisse.

Depois de alguns dias desse interesse repentino em mim, Rick me convidou para ir com ele a uma sorveteria. Era o segundo semestre de 1973, e eu aceitei de má vontade. Ele me deixava sem graça. Era simpático e me tratava bem, mas eu não estava interessada. Uma semana depois (oito dias, para ser mais exata), ele me acompanhou a uma cidade próxima onde eu ia tocar piano em um culto de avivamento. Depois do culto, quando voltamos para a faculdade, oramos juntos para encerrar a noite. Estávamos sentados no escuro quando o ouvi perguntar:

— Quer se casar comigo?

Fiquei estarrecida.

— O que você disse?

Então ele gaguejou:

— Amo você. Quer se casar comigo?

Era evidente que o pobre rapaz estava delirando. De onde havia tirado a ideia de me pedir em casamento? Lembro-me, porém, de orar naquele instante e perguntar ao Senhor o que devia fazer. "Não o amo! Nem o conheço direito! Amo outra pessoa!" Ouvi Deus responder: "Diga sim. Eu lhe darei o sentimento". E assim, com meus 19 anos de entendimento de vida, romance, Deus, sua vontade, fé e meu desejo de obedecer-lhe, disse "sim". Kay Lewis e Rick Warren ficaram noivos.

Não contamos a ninguém, muitos menos a nossas famílias, pois em algum lugar de nosso cérebro imaturo sabíamos que a ideia não seria bem aceita, nem mesmo em nossa faculdade cristã que valorizava a "direção do Espírito". Portanto, o noivado se tornou nosso segredo pelos seis meses seguintes.

Infelizmente para Rick, meu mundo interior estava em rebuliço, cheio de emoções conflitantes. Sabia que tinha ouvido a voz de Deus quando ele me falou para aceitar o pedido de Rick, mas os sentimentos prometidos de amor e romance não apareceram. Continuei a lutar contra meu afeto pelo outro rapaz e contra a ausência de sentimentos por Rick. Sentia-me extremamente culpada, pois sabia que o estava magoando com minhas variações emocionais em relação a ele, mas também me sentia presa a minha interpretação da vontade de Deus. Por fim, Rick declarou que iria terminar nosso noivado, pois eu o estava machucando demais. Quando eu pusesse as ideias em ordem e descobrisse o que queria, quem sabe poderíamos voltar a ficar juntos.

Depois de um mês de separação, entendi que, quer tivesse quer não os sentimentos românticos que considerava necessários, eu devia me casar com Rick. Dessa vez, ficamos noivos oficialmente, até com um anel de brilhante. Ninguém sabia que eu continuava confusa com a maneira como Deus havia me conduzido a esse noivado. Para nossos amigos a familiares, parecia uma história romântica, quase bíblica, como de Isaque e Rebeca.

Logo em seguida, Rick foi para Nagasaki, no Japão, a fim de lecionar inglês nas férias como missionário, enquanto eu fui para Birmingham, Alabama, para trabalhar em um ministério com a população carente do centro da cidade. Fomos correspondentes fiéis ao longo daquelas férias, mas as cartas sempre pareciam se cruzar no correio e estar fora de sincronia. O custo das ligações internacionais era proibitivo e, naquela época, não havia telefones celulares, WhatsApp, FaceTime, Skype, Facebook, Instagram, Twitter ou outros fantásticos meios de comunicação para manter contato. Portanto, nós nos despedimos no começo das férias quase como desconhecidos, voltamos como quase desconhecidos e, para piorar o distanciamento e a falta de intimidade, fomos morar em cidades diferentes no ano seguinte. Nos raros finais de semana que passávamos juntos, com certeza não desperdiçávamos um minuto precioso sequer refletindo sobre nossos conflitos ou procurando resolvê-los. Varremos para debaixo do tapete todas as questões sobre as quais deveríamos ter conversado e com as quais deveríamos ter aprendido a lidar. E ali elas ficaram, esperando para atirar-se sobre nós assim que esses dois quase desconhecidos disseram "sim" diante do altar em 21 de junho de 1975.

Lembro-me do momento no *hall* de entrada da Primeira Igreja Batista de Norwalk, na Califórnia, onde Rick era o pastor dos jovens. Eu estava agarrada ao braço de meu pai, assustada com o torpor e a confusão dentro de mim. Enquanto caminhava em direção ao altar, porém, vi os olhos brilhantes do rapaz sincero e bondoso que havia me pedido em casamento e entendi que era amada. Apaixonadamente. Intensamente. Com o tipo de amor "até que a morte nos separe". O modo como ele olhou para mim no dia do casamento se tornou uma âncora que me manteve firme nos momentos mais sombrios, em que eu não sabia se sobreviveria ao caos que a vida a dois havia se tornado.

Nosso casamento novinho em folha não demorou a entrar em queda livre. Antes do fim das duas semanas de lua de mel no Canadá, entendemos que estávamos em sérios apuros. Havíamos sido advertidos sobre cinco áreas de possível conflito com as quais todo casal precisa lidar, e mais que depressa nos complicamos em todas elas: sexo, comunicação, dinheiro, filhos e parentes. Nada funcionava. Nada. Éramos tão jovens — mal havíamos completado 21 anos — e tão inexperientes! Quando o sexo não deu certo, discutimos por causa disso, e depois discutimos por causa das discussões e começamos a acumular ressentimento, criando o ambiente perfeito para a desilusão e a infelicidade. Havia falado a Rick do abuso sexual que tinha sofrido na infância (ele foi a primeira pessoa a quem contei), mas como meu relato não foi emotivo, ele imaginou que o incidente não tinha sido muito importante e praticamente se esqueceu dele. Mantive em segredo, porém, meu envolvimento ocasional com pornografia. Como poderia compartilhar algo tão vergonhoso com um homem que eu mal conhecia? Juntando, portanto, os efeitos daquele abuso não tratado, a distorção que causou em minha sexualidade e a fascinação intermitente com pornografia, não é de surpreender que as coisas não tenham dado certo na área sexual.

Para piorar, todos nos consideravam o casal perfeito. Éramos apaixonados por Jesus, tínhamos a história romântica de que "Deus disse que devia me casar com você", éramos comprometidos com o Senhor e com a igreja e desejávamos ser missionários, ou pelo menos dedicar-nos ao ministério em tempo integral. Na cerimônia de casamento, tínhamos saído da igreja ao som do hino "A Deus demos glória". De que mais precisávamos para ter uma união feliz e bem-sucedida?

Claramente, precisávamos de mais do que tínhamos quando começamos. E ao voltarmos da lua de mel, já infelizes e estarrecidos com a dimensão dessa infelicidade, sentimos que não havia para onde correr com nossa dor terrível e nossos fracassos conjugais. Nosso pastor titular e a esposa nos tratavam muito bem, mas era impensável confessar para eles que as coisas tinham começado a dar errado logo de início. Imaginávamos que todos ficariam decepcionados conosco e nos considerariam péssimos cristãos, inadequados para liderar. Talvez, em alguns aspectos, fôssemos inadequados para liderar, mas até mesmo essa ideia era assustadora.

A duras penas, conseguimos sobreviver ao primeiro ano de casamento, enquanto Rick pastoreava um grupo animado de jovens que entravam e saíam de nosso apartamento a qualquer hora do dia ou da noite. Éramos tão jovens e ingênuos — e inteiramente condicionados por nossa educação rígida — que não reconhecemos o quanto estávamos nos prejudicando ao esconder os problemas e fingir que tudo estava bem. Não entendíamos que estávamos vivendo uma mentira. Ou talvez entendêssemos até certo ponto, mas tínhamos medo demais de trazer à tona o que se passava. Cerca de um ano e meio depois de nos casarmos, com imensa vergonha e acanhamento, procuramos aconselhamento com um psicólogo cristão, e suas palavras bondosas nos levaram a começar a dialogar, embora nada tivesse se resolvido.

Talvez, em alguns aspectos, fôssemos inadequados para liderar, mas até mesmo essa ideia era assustadora.

Em nosso segundo aniversário de casamento, nós nos mudamos para Fort Worth, no Texas, onde Rick faria o mestrado de teologia para se tornar pastor titular. Ainda tínhamos sérios problemas com sexo, comunicação e dinheiro, e vivíamos um inferno conjugal. Na época, a ideia geral era de que, se você amasse Jesus o suficiente, seu casamento seria feliz. Para nossa perplexidade, amávamos Jesus de todo o coração e tínhamos um compromisso sério com a igreja local. Como era possível as coisas estarem tão ruins? Víamos a ironia de Rick querer ser pastor enquanto seu casamento afundava. A infelicidade pesava sobre nossos ombros como um fardo imenso. Talvez eu esperasse que, um dia, acordaríamos e descobriríamos que havia sido um pesadelo e que, de algum modo, nossos problemas simplesmente desapareceriam. Creio que chamam isso de pensamento mágico. Desejávamos honrar os votos sagrados de casamento que havíamos feito diante de Deus e de nossos entes queridos, portanto divórcio não era uma opção. Ao mesmo tempo, era inimaginável passar o resto da vida naquele sofrimento. Não sabíamos o que fazer, nem como criar um casamento saudável com os cacos que restavam de conflitos, decepções, transtornos e ressentimentos.

Como parte do programa de mestrado, Rick teve de participar por algum tempo de sessões semanais de aconselhamento em grupo. Não se sentindo à vontade para expor nossas fraquezas a seus colegas estudantes de teologia, durante essas sessões em grupo ele fingia que tudo estava bem e voltava para casa tão nauseado que quase passava mal. Sua raiva em relação a nosso relacionamento secretamente fracassado só crescia, e com essa raiva reprimida vieram depressão e ansiedade intensas.

Rick se dedicava exclusivamente aos estudos e, com frequência, viajava nos finais de semana para pregar em igrejas e pequenos congressos na região. Eu trabalhava em período integral e era a principal responsável pelo sustento da casa.

Era assistente de um dos vice-presidentes de uma empresa, e minha mesa ficava de frente para o elevador, onde via as pessoas entrarem e saírem o dia todo. Não levou muito tempo para eu descobrir que um sujeito muito bonito trabalhava no mesmo andar, e antes que me desse conta eu já havia criado em minha mente um universo de fantasia em torno dele. Encontrava "motivos" para almoçar no mesmo horário que ele no refeitório. E havia "motivos" para passar em frente a seu escritório várias vezes por dia, sorrir e acenar amigavelmente. Quando estava em minha mesa, sonhava acordada sobre como seria ter um relacionamento com ele. E quando ele conversava comigo eu ficava nervosa e sentia as mãos transpirarem. Era sério. Muito sério. Havia desvinculado minhas emoções de meu marido e as ligado a esse sujeito que mal sabia que eu existia. Certo dia, essa bolha emocional estourou quando passei pelo escritório dele e o ouvi falando mal da esposa ao telefone. Fiquei chocada com sua atitude grosseira e maldosa. O homem dos meus sonhos era um mau-caráter. Minha ridícula obsessão por ele morreu naquele momento, pois tive um vislumbre da pessoa real por trás da bela aparência e não gostei do que vi.

Mas e se minha atração emocional e física por ele tivesse sido correspondida? E se ele tivesse alimentado uma fantasia semelhante? Se tivesse sido receptivo a meu comportamento insinuante? Se tivesse se mostrado disposto a arriscar sua vida em família por uma jovem tola e infeliz no casamento? E se minhas ações tivessem me levado a um ponto em que precisaria escolher entre meu casamento e um relacionamento extraconjugal? O final da história teria sido bem diferente. Poderia ter perdido meu casamento. Sim, era um casamento infeliz, mas minhas fantasias não anulavam o fato de que eu havia feito votos. Votos de fidelidade, amor e compromisso para a vida toda. Esses votos não tinham perdido a validade só porque não sabíamos amar um ao outro. Se eu tivesse abandonado esses votos, minha história teria sido diferente. Teria perdido o casamento rico e cheio de satisfação que ainda estava por vir, nascido de uma longa e árdua jornada. Não teria aprendido ao longo do caminho as lições sobre egocentrismo, medo de vulnerabilidade, identidade fragmentada, incapacidade de administrar conflito e problemas de comunicação. Teria perdido a alegria de ser mãe de Amy, Joshua e Matthew. Não teria sido avó de Kaylie, Cassidy, Caleb, Cole e Claire. Não teria participado da fundação da Saddleback, a igreja mais maravilhosa do planeta. Não teria me tornado porta-voz mundial de portadores de HIV e de órfãos e crianças em situação vulnerável. Teria perdido a oportunidade de falar em nome dos portadores de transtornos mentais e de conscientizar outros sobre suicídio e sua prevenção. Teria aberto mão do direito de convocar a igreja a agir em favor de todos os que vivem marginalizados, afastados do calor da comunhão de Jesus. Ao pôr meu casamento em risco, quase perdi tudo com que sonhava e pelo que ansiava.

Ao longo de décadas de ministério, conversei com centenas de mulheres e de casais em relacionamentos marcados pela solidão e insatisfação, casamentos em que os sonhos tinham se transformado em pó. Em que a paixão tinha sido sepultada havia muito tempo debaixo da pesada rotina diária de trabalho, filhos, pressão, estresse e anseios não realizados. Alguns desses casamentos tiveram um fim explosivo, no qual a raiva e a amargura corroeram toda noção de decência, bondade e compaixão pelo outro. Alguns terminaram em desgosto, dor excruciante e desilusão, quando a traição transformou em objeto de escárnio os votos de fidelidade. Alguns terminaram com um baque surdo, quando a batalha interminável por um relacionamento saudável, livre de algum vício, deu o golpe final em um dos cônjuges e arrancou dele todo o desejo de continuar tentando. Alguns terminaram com um sussurro, quase em silêncio, quando o tédio, a enfermidade, as dificuldades financeiras ou uma infinidade de outros problemas fez até a grama seca do outro lado da cerca parecer mais verde que o deserto árido de seu lado.

Entendo você. De verdade. Não abordo esse assunto a partir de uma versão romantizada da vida a dois, mas das trincheiras em que nosso casamento ganhou forma e se fortaleceu em meio a sangue, suor e lágrimas. Sei o que é escolher construir um relacionamento; procurar repetidamente aconselhamento para casais; compartilhar a luta com nosso pequeno grupo e com nossos familiares; tomar a decisão, mais uma vez, de dizer: "Vamos começar de novo" e "Me perdoe, estava errada" e "Eu perdoo você"; reconhecer que minha forma de ver o mundo não é a única que existe e tentar me pôr no lugar do outro; escolher concentrar-me no que é bom e correto e honrado em meu marido, em vez de no que me dá nos nervos; transformar atração por outro homem em atração por meu marido; ter opiniões diametralmente opostas sobre como interagir e lidar com um filho portador de um transtorno mental; ter medo, ansiedade e pânico intensos, que ameaçam tragar a vida normal; ser consumida pelas necessidades de um membro da família; ser rasgada por tristeza catastrófica e compartilhá-la com o cônjuge, apesar das diferenças; descobrir como lamentar juntos a perda

Ao pôr meu casamento em risco, quase perdi tudo com que sonhava e pelo que ansiava.

quando seu filho mentalmente doente tira a própria vida de forma violenta, e a tristeza que você sente se torna pública, pois você atua no ministério. Sua existência está exposta a todos e é assunto para as manchetes dos *sites* de notícias. Não conheço suas circunstâncias específicas, mas conheço as minhas, e dizer que o casamento é difícil não chega nem perto da dura realidade.

E, no entanto, também é a melhor coisa de nossa vida. Rick e eu não seríamos quem somos hoje se não tivéssemos um ao outro. Sou uma cristã melhor, uma mulher, mãe, amiga e obreira melhor por causa de Rick. E ele diz que é um cristão melhor, um homem, pai e pastor melhor por minha causa. O ferro afiando ferro muitas vezes produziu faíscas e sons estridentes, mas resultou em profundo crescimento pessoal para nós dois. Ele é meu melhor amigo. Para sempre. Nossa canção predileta era "Happy to be Stuck with You" [Feliz de estar preso a você], do grupo Huey Lewis and the News, pois refletia a realidade de nossa vida conjunta. Reconhecia nossa incompatibilidade, o conflito, a luta, o desejo de estar em um relacionamento mais fácil, mas também nossa escolha de permanecer juntos, pois tínhamos feito as pazes quanto a nossas diferenças e aprendido a amar um ao outro de fato. No entanto, outra canção se tornou a nossa predileta. A versão de Gladys Knight de "You're the Best Thing That Ever Happened to Me" [Você é a melhor coisa que já me aconteceu] nos deixa melosos e chorosos e nos faz trocar olhares apaixonados como não acontecia quando tínhamos 21 anos. Por quê? Superamos a grande probabilidade de que nossa união imprudente acabaria em divórcio. Enfrentamos juntos meu câncer de mama e melanoma. Sobrevivemos aos transtornos mentais e ao suicídio de nosso filho Matthew. E, agora, *sabemos*. Sabemos que somos a melhor coisa que aconteceu um ao outro. Sou apaixonada pelo homem que Deus colocou em minha vida tantos anos atrás. Ele não é a pessoa que eu estava procurando, e vice-versa, mas é a pessoa da qual eu tanto precisava para me tornar quem sou hoje, e vice-versa.

Tenho muito mais para contar, mas vou guardar para os próximos capítulos. No fim das contas, a coisa mais importante que você precisa saber é que estamos todas na mesma jornada, e a todas nós foi concedido o mesmo privilégio sagrado. Você precisa aceitar sua história como um todo, para a glória de Deus e para o crescimento do reino dele.

2
Compartilhe o sonho

Mas meu Deus vive, e meu coração pertence a ele.

Sarah Edwards,
esposa de Jonathan Edwards

Quando eu estava na faculdade, passei as férias trabalhando em várias igrejas de outro estado que atendiam a grupos carentes em centros urbanos. Depois de algumas semanas, me ocorreu que, em uma dessas igrejas, nunca tinha visto a esposa do pastor. Perguntei se ela estava bem e alguém me respondeu: “Ela não participa. Não quer que o marido seja pastor; aparece apenas a cada três ou quatro meses”. Se você passasse pela rua deles a qualquer dia da semana, veria o carro dela estacionado na frente da casa, onde ela estava com os filhos pequenos. Não estou criticando essa mulher. Não conhecia o casal nem o contexto de seu casamento ou ministério. Só sei que, pouco tempo depois, saíram do pastorado.

Ao longo da vida, tive a oportunidade de conhecer centenas de casais dedicados ao ministério, cada um tão singular quanto os homens e mulheres que os formavam. Alguns desses maridos e esposas lutaram durante todo o ministério com o descompasso entre eles, enquanto outros acabaram encontrando um ritmo que desse a ambos a oportunidade de crescer e se desenvolver. É preciso considerar uma porção de variáveis ao tentar identificar as características ou hábitos que podem prever quais casais permanecerão no ministério. Observei, contudo, uma característica dos casais que têm sucesso no longo prazo: a capacidade de se considerarem uma equipe que compartilha um sonho dado por Deus. Creio que esse fator é decisivo para o ministério ao qual Deus nos chamou. Ser um time que compartilha um sonho pode revitalizar o casamento, a família, a igreja local e, em última análise, o reino de Deus.

Quando Rick cursava o seminário no Southwestern Baptist Theological Seminary em Fort Worth, Texas, certo dia me surpreendeu com um pedido:

— Querida, gostaria que, nas férias, você me acompanhasse a um congresso no sul da Califórnia sobre crescimento congregacional. Estou pensando em começar uma igreja.

Minha reação não foi exatamente um modelo de entusiasmo e apoio.

— Obrigada, mas não quero. Para que participar de um congresso sobre crescimento congregacional? E que ideia é essa de começar uma igreja? Pensei que você seria pastor de uma igreja formada.

Levantei objeções de todo tipo à proposta. Não estava interessada em plantar igrejas, não tínhamos dinheiro para a viagem e para a inscrição no congresso, e não dava para tirar férias do trabalho. Além disso, a ideia de começar uma igreja — sem dinheiro, sem templo, sem membros, sem segurança e sem estabilidade — me incomodava e me deixava ansiosa.

Rick tinha um argumento para cada objeção.

— Vamos de carro, sem pernoitar no caminho, para não precisar gastar com hospedagem. Peço uma ajuda de custo para o seminário. Podemos ficar na casa de seus pais, assim você tem tempo de curtir sua família. E podemos aproveitar a praia!

Nosso orçamento era extremamente apertado, e mal tínhamos dinheiro para fazer ligações interurbanas, de modo que ele venceu minha resistência com a perspectiva de ver meus pais e meu irmão mais novo. A oportunidade de visitar o litoral sul da Califórnia, um lugar pelo qual era apaixonada, deu um incentivo adicional. Ainda assim, fui muito a contragosto ao congresso. Lemos o livro de Karen Burton Main, *Open Heart, Open Home* [Coração aberto, lar aberto] um para o outro a fim de passar o tempo enquanto nos revezávamos ao volante, mas também me lembro da tensão entre nós durante a viagem de 2.200 quilômetros.

Você alguma vez teve uma daquelas experiências em que sua vida é transformada para sempre? Em que seus planos cuidadosamente traçados implodem e se transformam em fumaça, e o futuro se abre diante de seus olhos de modo tão maravilhoso que tira seu fôlego?

Foi o que aconteceu comigo no congresso. Cada um dos palestrantes nos desafiou a pensar naqueles que não tinham interesse em igreja e considerar maneiras de prender sua atenção tempo suficiente para lhes falar do amor de Deus. As palavras deles começaram a remover, uma a uma, as camadas de oposição em meu coração assustado e resistente. Aos poucos, uma palavra por vez, o sonho que havia brotado no coração de Rick também começou a nascer em meu coração à medida que entendi a visão de alcançar para Jesus Cristo aqueles que ainda não o conheciam. Mal olhei para trás enquanto abandonava minhas ideias antes tão prezadas de segurança e estabilidade. Ainda hoje, sinto um nó na garganta ao escrever estas palavras e me recordar da esperança quase incontida de trabalhar com Deus de uma nova maneira que poderia mudar o destino eterno de milhares de pessoas.

Sim, passei alguns momentos com minha família e, sim, respirei o ar salgado da praia do qual sentia falta, mas boa parte dessas recordações se desvaneceu. O que ficou mais vívido na memória foi a viagem de volta a Fort Worth, nós dois falando ao mesmo tempo, enquanto eu tentava anotar nossas ideias em pedaços soltos de papel e Rick dirigia. Éramos sonhadores com 24 anos, o coração disparado, encantados com o sonho de plantar uma igreja para pessoas que nem sequer sabiam que Deus as amava. Nos 2.200 quilômetros de volta para Fort Worth nós nos tornamos uma equipe que compartilhava um sonho para a glória de Deus. Não fazíamos ideia de como Deus usaria essa experiência para mudar *tudo* o que havíamos imaginado para nossa vida.

Quando começamos a compartilhar o sonho, quando se tornou nosso *sonho, também começamos a pensar mais no que poderíamos realizar juntos do que individualmente.*

Efésios 2.10 diz: "Pois somos obra-prima de Deus, criados em Cristo Jesus a fim de realizar as boas obras que ele de antemão planejou para nós". Para mim, esse versículo comprova que, muito antes de Rick e eu nascermos, Deus sabia que nos casaríamos e planejou coisas bastante específicas para realizarmos juntos em nossa vida no ministério. Aqueles sonhos não nasceram em nós, mas nele.

Até então, muitas vezes eu havia me sentido um acessório inútil ao lado de Rick enquanto ele realizava seu ministério de pregação. Via-me como uma acompanhante que poucos notavam. Não ajudava muito o fato de ele estar acostumado a viajar e ministrar desde o tempo de solteiro; levou tempo para ele se ajustar ao fato de que era casado. Quando dava palestras em encontros de jovens ou pregava em igrejas, nem sempre se lembrava de me apresentar do púlpito. Mas ele se esforçava e escrevia em letras garrafais no alto do esboço de seus sermões "APRESENTE KAY!".

Quando, porém, começamos a compartilhar o sonho, quando se tornou *nosso* sonho, também começamos a pensar mais no que poderíamos realizar juntos do que individualmente. A verdade expressa em Eclesiastes 4.9-12, de que é melhor serem dois que um, começou a se sedimentar em nós.

> É melhor serem dois que um, pois um ajuda o outro a alcançar o sucesso. Se um cair, o outro o ajuda a levantar-se. Mas quem cai sem ter quem o ajude está em sérios apuros. Da mesma forma, duas pessoas que se deitam juntas aquecem uma à outra. Mas como fazer para se aquecer sozinho? Sozinha, a pessoa corre o risco de ser atacada e vencida, mas duas pessoas juntas podem se defender melhor. Se houver três, melhor ainda, pois uma corda trançada com três fios não arrebenta facilmente.

Tivemos um vislumbre de como nossos dons e talentos individuais, quando unidos em um só propósito e uma só direção, poderiam nos tornar parceiros produtivos no ministério.

Considerem-se um time

A palavra *time* vem do anglo-saxão e se referia a uma parelha de animais de carga unidos por um jugo. Uma definição moderna expande o conceito: "várias pessoas que atuam juntas como grupo para a prática de um esporte ou para realizar algo".[1] Rick define time como duas ou mais pessoas que têm alvos em comum e se comunicam em profundidade a respeito desses alvos. É possível que você e seu marido trabalhem juntos, mas se não se comunicam claramente, em profundidade, não são um time. De modo semelhante, talvez se comuniquem um com o outro em profundidade, mas tenham alvos diferentes e, portanto, também não sejam um time. Ser um "time" significa ter alvos em comum para o ministério e comunicar-se em profundidade a respeito desses alvos.

Conforme comentei no prefácio, o papel da esposa de pastor varia muito, e não há um modelo único que sirva para todas nós. Observei, porém, três modelos básicos comuns de casais que se dedicam ao ministério (com diversas variações): compartilham tudo, compartilham bastante, compartilham pouco.

Primeiro, há os casais que compartilham tudo. Marido e esposa são copastores. Têm os mesmos títulos e dividem não apenas o sonho e a visão, mas também responsabilidades e talvez tenham até salários semelhantes. O segundo modelo é o de casais que compartilham bastante. O marido é o pastor e a esposa pode ou não ter um título oficial, mas serve e lidera ativamente, divide a visão e o sonho, exerce influência sobre o marido e é respeitada pelos outros líderes da igreja. O terceiro modelo, relativamente tradicional, é o de casais que compartilham pouco. Nesse modelo, o marido tem responsabilidades muito maiores que as da esposa. Ele (ou a igreja) talvez tenha um conjunto bem definido de expectativas em relação à esposa, mas as responsabilidades dela são acompanhadas de pouca autoridade. Está presente e envolvida, mas não tem muita influência na hora de tomar decisões. Qualquer que seja o modelo mais próximo de sua realidade, o conceito de time tem mais a ver com elementos intangíveis que com organogramas e títulos; diz respeito mais a atitudes que a tarefas e descrições de cargo.

Há uma forte base bíblica para nos considerarmos um time que compartilha um sonho. Chama-se "tornar-se um". Essa expressão é usada pela primeira vez em Gênesis 2.24, que descreve a união de Adão e Eva: dois corpos distintos e separados unidos fisicamente de modo a parecer uma só pessoa. Nada ilustra tão bem o desejo de Deus de que marido e esposa tenham união e harmonia quanto o ato físico de tornar-se uma só carne. E, no entanto, todas nós conhecemos casais que dizem desfrutar uma boa vida sexual, mas têm dificuldade de se entender fora do quarto. Levam vidas, em boa parte, separadas, com rumos diferentes e poucos elementos para consolidar os sentimentos de união. Sua união emocional e espiritual é fraturada, e como resultado ambos ficam insatisfeitos e anseiam por maior intimidade. Por isso a união física tem o objetivo de representar um vínculo mais profundo — não apenas a capacidade física de unir partes do corpo, mas a união emocional e a harmonia que dão significado à intimidade física.

Quero ser um com Rick no mais alto grau possível, nas esferas física, emocional e espiritual, e é esse objetivo que me motiva a participar do mundo dele.

Participe do mundo dele

Na época em que nossos filhos eram pequenos e que meus esforços para suprir as necessidades e exigências deles me impediram de permanecer tão ativa no ministério quanto gostaria, Rick e eu nos sentimos emocionalmente distantes um do outro. Não havia nada efetivamente errado, mas éramos como navios que se cruzam à noite, cada um ocupado com suas responsabilidades individuais. A estratégia de "compartilhar o sonho e participar do time" com a qual havíamos iniciado a igreja começou a perder o brilho à medida que as circunstâncias da vida nos impeliram para uma nova fase. Eu não sabia muita coisa do mundo dele, e ele não sabia muita coisa do meu. Durante uma de nossas conversas sérias sobre nossa frustração mútua, Rick levantou uma questão que ele havia lido em um livro sobre casamento: É verdade que quanto mais a mulher escolhe participar do mundo do marido, mais ele escolhe participar do mundo dela?

Essa pergunta mexeu comigo, e meditei a seu respeito por vários dias. Não vou discutir de quem era a vez de tomar a iniciativa, isto é, qual de nós devia ser o primeiro a tentar participar do mundo do outro. Esse tipo de pensamento em que cada um se coloca em primeiro lugar pode se tornar uma distração e condena muitos relacionamentos a decepções e amargura.

Com frequência, tive de escolher entre me colocar em primeiro lugar ou colocar o casamento em primeiro lugar. Sem dúvida, Rick se lembra de várias ocasiões em que ele deixou de se colocar em primeiro lugar e se dedicou a edificar nosso relacionamento. Essa é a mutualidade à qual Efésios 5.21-33 se refere. Em meus momentos de menor santidade, porém, peguei-me esperando que Rick tomasse determinada iniciativa no momento e do modo como eu gostaria. Entrei nesse jogo algumas vezes, e sei que ninguém vence. Estou aprendendo a dedicar energia a meu objetivo maior: que participemos do mundo um do outro. Na ocasião em que ele levantou o questionamento a respeito de a esposa participar do mundo do marido, decidi que, se era necessário eu tomar a iniciativa, que assim fosse. Ficou evidente que, se eu desejava que ele se tornasse parte de *meu* mundo, eu teria de fazer todo o possível para me tornar parte do mundo *dele*. Precisei tomar algumas decisões bastante ponderadas.

No seminário, quando Rick começava a falar de plantação de igreja, saúde da igreja, dados demográficos, quadros, tabelas e tendências, era como se estivesse conversando comigo em babilônio antigo. Blá, blá, blá, blá, blá. Para piorar, eu não tinha o mínimo interesse em aprender! Embora Rick ainda seja o especialista em saúde da igreja, sei muito mais hoje do que quando começamos. Isso porque escolhi ler alguns livros que ele lê, ouvir sermões que ele ouve e ir a alguns congressos aos quais ele vai. Se você deseja participar do mundo e do ministério de seu marido em um nível além do básico, no nível em que vocês compartilhem ideias e sonhos, precisará fazer um esforço para entrar no universo dele.

Isso talvez pareça injusto — e talvez você tenha uma longa lista de motivos pelos quais parece simplesmente impossível e pelos quais é a vez de seu marido tomar a iniciativa em sua direção —, mas protestar não a ajudará a alcançar seu alvo: união e harmonia. Em vez disso, por que não fazer algumas perguntas simples para seu marido: "Quais são os dois livros que mais o influenciaram nos últimos seis meses? Há um *podcast* de algum sermão que tocou seu coração recentemente?". Quando ele se recuperar da surpresa, prepare-se para anotar os títulos. Se você perceber receptividade a sua tentativa de interagir com ele em um nível mais profundo, talvez possa dizer algo como: "Sei que nunca conversamos sobre isso (ou não conversamos há muito tempo), mas é um assunto importante para mim. Gostaria de ouvir quais são seus sonhos e expectativas para a igreja nos próximos seis meses".

Poucos homens rejeitarão o interesse *sincero* da esposa naquilo que os interessa. Afinal, essa inciativa comunica: "Valorizo você. Quero participar de seu mundo. Quero saber o que é importante e o que tem significado para você". É provável que seu marido deseje compartilhar com você o mundo dele, mas não saiba como. Talvez tenha se habituado ao fato de que cada um se dedica a suas próprias responsabilidades e ainda não tenha notado o distanciamento emocional. À medida que você demonstrar curiosidade verdadeira a respeito do que ele tem em mente, é quase certo que ele a convidará a entrar nessa parte do coração dele. Observe que eu disse "interesse sincero" e "curiosidade verdadeira". Tornar-se um não significa, de maneira alguma, usar de manipulação ou fingimento para conseguir algo para si mesma. Significa deixar o outro entrar no recôndito de seu coração.

Também sugiro que, quando possível, você participe de congressos junto com ele, ou pelo menos os acompanhe *on--line*. Há uma diferença relacional gigantesca entre participar juntos de um evento importante e ouvir um relato posterior. Pense em uma ocasião em que você participou de um retiro de mulheres, voltou para casa empolgada, e seu marido perguntou: "Como foi o retiro?". Você respondeu: "Foi inspirador!". Talvez ele tenha pedido mais detalhes e você tenha procurado expressar o quanto foi relevante para sua vida. Alguns segundos depois, você notou o olhar perdido dele, acompanhado de breves comentários como: "Aham. Puxa. Que legal", e começou a ficar frustrada. É possível que você tenha dito: "Não entendeu? Foi maravilhoso!", e ele tenha respondido: "Estou tentando". Então, os dois desistiram da conversa. Ao longo da semana, porém, você encontrou algumas das mulheres que também participaram do retiro, e vocês trocaram comentários empolgados e recordações. "Lembra-se de quando ela disse isso, e o impacto que causou?" Poderia passar horas conversando com elas.

Qual é a diferença? A diferença é que você e as outras mulheres compartilharam uma experiência relacional e espiritual da qual seu marido não participou. Quando vocês vão a congressos e eventos juntos, como casal, aumentam a probabilidade de fortalecer seu casamento e aprofundar seu relacionamento, pois compartilharam experiências que podem processar juntos. Incentivo fortemente esse tipo de atividade!

Uma observação: é de conhecimento geral que, quando pessoas têm alvos em comum, tornam-se mais próximas. Esse é um dos motivos pelos quais há uma tendência de pastores e secretárias ou pastores e membros de sua equipe estarem suscetíveis a casos extraconjugais. Quando as pessoas trabalham juntas em prol de um objetivo em comum, e quando se comunicam em profundidade a respeito desse objetivo, é natural que formem vínculos emocionais. Falaremos mais a respeito disso adiante, mas, em última análise, nenhuma de nós deseja que seu cônjuge desenvolva mais proximidade com uma colega de trabalho que conosco.

Se você se sente isolada do ministério no qual você e seu marido estão trabalhando e gostaria que ele conversasse mais e o compartilhasse com você em maior profundidade, faça todo o possível para participar do mundo dele. A esperança é de que ele reaja de forma positiva a seu desejo de intimidade e, por sua vez, demonstre interesse e desejo de participar de seu mundo.

Claro que não há garantias absolutas, pois nem sempre A + B = C. O fato é que alguns homens têm dificuldade de se relacionar com qualquer um em um nível mais profundo e íntimo e, mais ainda, de compartilhar o sonho e o trabalho em equipe do ministério. Guardam para si pensamentos, reflexões, necessidades e desejos, e preferem manter seu eu interior escondido do cônjuge. Essa forma de agir pode ser prejudicial e, aos poucos, pode apagar as fagulhas iniciais de amor no casamento. Como resultado, cada um se fecha em sua solidão individual.

A tendência de guardar para si ideias e emoções pode influenciar também o modo como o pastor dirige a igreja. Talvez passe anos como Cavaleiro Solitário, recusando-se a delegar autoridade a outros ou deixando de treinar e preparar membros da igreja para que eles próprios exerçam funções ministeriais. E, assim como a incapacidade ou recusa de permitir que a esposa se aproxime afeta a intimidade do casamento, também o pastor pode acabar se sentindo isolado e sobrecarregado com o peso que procura carregar sozinho. Não precisa ser dessa forma, nem no casamento, nem no ministério. Quando entendemos o quanto necessitamos uns dos outros, vemos que Deus proveu meios não apenas de tratar nossa solidão, mas também de promover crescimento e bem-estar em sua igreja.

Precisamos uns dos outros

> Da mesma forma que nosso corpo tem vários membros e cada membro, uma função específica, assim é também com o corpo de Cristo. Somos membros diferentes do mesmo corpo, e todos pertencemos uns aos outros.
>
> Romanos 12.4-5

Deus usa a analogia do corpo para descrever a igreja porque é uma imagem fácil de entender; ao olhar para nós mesmas no espelho, vemos claramente que todas as partes do corpo precisam das demais para que funcionemos bem e tenhamos boa saúde.

Essa ideia é confirmada em 1Coríntios 12.12-27. O apóstolo Paulo expande o significado por trás da analogia quando escreve no versículo 21: “O olho não pode dizer à mão:

'Não preciso de você'. E a cabeça não pode dizer aos pés: 'Não preciso de vocês'". Cada parte é necessária e importante. O corpo precisa de todas as partes para trabalhar com eficiência. Se meu pé fosse cortado, o que aconteceria com ele? Morreria, e minha perna ficaria incompleta. Nenhuma parte do corpo é capaz de sobreviver sem o restante dele, nem mesmo temporariamente.

Em seu casamento, nunca haverá um momento em que seu marido poderá lhe dizer, com razão: "Não preciso de você". Nunca haverá um momento em que você poderá dizer a seu marido, com razão: "Não preciso de você". Minha amiga, isso é contra as Escrituras. A Palavra de Deus diz que ele precisa de você, e você precisa dele. Qualquer homem que se imagine capaz de pastorear uma igreja sem ter a esposa como parte da equipe é um homem tristemente equivocado. Seu ministério será limitado e até mesmo enfraquecido, pois o propósito de Deus é que sirvamos juntos, como um corpo em que cada parte é valorizada e necessária.

Será que você tem consciência de que *você* é o recurso mais valioso do ministério de seu marido, mais que formação acadêmica, aptidões e dons espirituais, mais que qualquer coisa? Você é o bem mais fundamental que ele possui. Será que você tem consciência de que *ele* é seu recurso mais valioso para o ministério, mais que formação acadêmica, aptidões e dons espirituais, mais que qualquer coisa? Ele é o bem mais fundamental que você possui. A verdade é que ele precisa de você, e você precisa dele.

No próximo capítulo, falarei em mais detalhes sobre como eu costumava enxergar a mim mesma, mas o fato é que, no começo de nosso relacionamento, tinha certeza de que Rick não precisava de mim. A meu ver, ele era incrivelmente talentoso e competente, enquanto eu era incrivelmente desprovida de talento e competência. Em muitas ocasiões, tentei persuadi-lo a encontrar uma garota que tivesse mais conhecimento bíblico que eu e mais talentos, aptidões e confiança. Não me considerava a garota certa para ele. Levou um bocado de tempo para ele me convencer de que precisava de mim. Algumas de vocês talvez estejam no mesmo barco e consigam se identificar comigo. Mesmo que sejam casadas há algum tempo, talvez tenham no coração um medo persistente de que o marido não precisa de vocês, de que se sairia bem sem vocês. Não é verdade.

Ninguém é forte em todas as áreas. As boas equipes maximizam as forças e minimizam as fraquezas ou as compensam. Rick e eu aplicamos esse conceito em todo o nosso ministério, procurando maneiras de complementar e fortalecer um ao outro e ao ministério com nossos dons e pontos fortes individuais. Por exemplo, Rick é totalmente extrovertido e se sai bem no meio de um grupo grande. Não entendo como ele consegue, mas entra numa sala em que não conhece uma pessoa sequer e, em poucos segundos, conquista o grupo. Conta histórias, ri das piadas de outros e os faz rir também, cativando logo a atenção de todos. Não age desse modo com a intenção de manipular. Simplesmente é a pessoa extrovertida que Deus o criou para ser. Se você quer que um encontro se transforme em festa, convide Rick!

Nessas mesmas reuniões em que ele encanta a multidão, eu me saio muito melhor interagindo com uma pessoa de cada vez. Sempre fui introvertida e sempre me senti pouco à vontade no meio de um grupo grande, em que as conversas ficam no nível superficial e exigem sorrisos enormes e comentários sagazes. Desde a morte de nosso filho, perdi ainda mais o gosto por esse tipo de ambiente, pois exige um gasto de energia que me esgota completamente. Se me deixarem no canto da sala ao lado da planta, com uma ou duas pessoas dispostas a conversar, passaremos a noite toda falando sobre coisas da alma, discutindo o sentido da vida, os mistérios da fé, o sofrimento e os problemas do mundo. É engraçado que, quando Rick e eu avaliamos um evento desse tipo, ele se dá por feliz se teve a oportunidade de cumprimentar e abraçar todas as trezentas pessoas presentes, enquanto eu me dou por feliz se consegui ter um ou dois diálogos expressivos. Somos tão diferentes um do outro!

A vantagem de nossas diferenças não é apenas que podemos compartilhar um com o outro uma perspectiva bem mais completa de um evento do qual participamos, mas que Deus pode usar a personalidade distinta de cada um para alcançar pessoas que o outro talvez não conseguisse. Vocês também podem fazer suas diferenças trabalharem a seu favor como parceiros no ministério se reconhecerem os pontos fortes de cada um e buscarem maneiras de usá-los para beneficiar a igreja. Somos chamados a complementar um ao outro, e não a competir ou nos comparar um com o outro.

Por exemplo, Rick não percebe como magoa as pessoas com seus movimentos rápidos no meio de um grupo grande. Sem dúvida, é consequência de seu transtorno de déficit de atenção, bem como de seu temperamento extrovertido. Sempre gostei do fato de que ele vai ao pátio da igreja depois do culto e dá centenas de abraços, tira zilhões de fotos com outros e fica à disposição dos membros da igreja e dos visitantes. Houve ocasiões, porém, em que vi alguém se aproximar dele e dizer algo, enquanto ele ouvia apenas com parte de sua atenção, dizia: "Aham, aham, aham" e, pouco depois, se voltava para outra pessoa ou para um grupo que queria tirar uma foto com ele. Se estou por perto, posso sussurrar em seu ouvido: "Amor, aquele senhor estava tentando compartilhar algo importante" ou "Aquela senhora precisava de alguma coisa e você não percebeu". Minha sensibilidade e capacidade de notar detalhes e transmitir essa percepção muitas vezes permitem que ele volte e se envolva verdadeiramente em algumas circunstâncias. E, por causa de meus pontos fortes, agora ele sai para o pátio acompanhado de um conselheiro para o qual pode transferir quem precisa de mais cuidados enquanto ele continua a interagir com os outros que estão esperando para falar com ele. Fazemos bem um para o outro. Ele é mais eficaz quando estou ao seu lado, observando reações, e eu tenho me saído melhor no trabalho de interagir com as pessoas no pátio de maneiras que não me ocorrem naturalmente, pois ele me ensinou o poder do toque pessoal. Nosso ministério se tornou mais forte e mais eficaz porque compensamos os pontos fracos um do outro.

Em igrejas menores, não há uma equipe de seguranças para protegê-la ou para intervir caso alguém se descontrole. Tudo depende de você, o que gera um bocado de pressão. Não há uma sala nos bastidores em que possa fazer uma pausa e se acalmar em um dia especialmente difícil. Você fica exposta, e à disposição de todos. Administrar as diferenças entre extrovertidos e introvertidos e o quanto vocês se sentem à vontade para interagir com os membros da igreja e os visitantes é uma dança, como tudo no casamento; portanto, é fundamental ouvir o cônjuge e valorizar os pontos fortes um do outro.

Eis outra área em que nossas diferenças trabalham em conjunto para o bem da igreja: Rick é um visionário admirável, com dons espirituais de fé e pregação. Visionários enxergam o quadro mais amplo em alta definição. Fazem o que chamo "pintar no ar", ou seja, usam suas expressões faciais, tom de voz e, geralmente, movimentos amplos dos braços para "pintar" uma imagem no ar de modo vívido, real e envolvente. Ajudam-nos a ver com nossos olhos espirituais algo que talvez nem exista no âmbito físico.

Eu não sou assim. Embora me considere sensível às coisas espirituais, um lado meu é bastante prático e pé no chão. Tenho os dons espirituais de discernimento e profecia. Portanto, enquanto Rick transmitia a quem quisesse ouvir sua visão para começar a Igreja Saddleback, eu fazia as perguntas práticas: "Quem vai cuidar das crianças que vierem à nova igreja? Quem vai trazer café e bolo? Como vamos transportar o equipamento do berçário de nossa garagem para a escola que vamos alugar nos finais de semana?". Se alguém colocar um visionário contra a parede e lhe fizer perguntas a respeito dessas coisas banais, ele olhará com cara de paisagem e, por fim, ficará frustrado com quem está tentando discutir as questões práticas. Pelo menos é o que acontece com o meu visionário. Crianças? Café? Transporte? De acordo com os visionários, esses são detalhes "secundários" que se resolverão mais adiante. Todo visionário precisa de alguém que saiba resolver problemas. Meu visionário sempre precisou de pessoas como eu para andar com ele e, por vezes, puxar seus pés das nuvens e plantá-los firmemente no chão. Ele, por sua vez, me ajuda a enxergar o quadro mais amplo por trás de todos os meus esforços. Foi desse modo que aprendemos a ser uma equipe; precisamos um do outro de verdade! Eu entro com os pontos fortes que ele não tem e vice-versa, e desse modo compensamos os pontos fracos um do outro. Temos nossa maneira singular de liderar. Assim funciona o corpo na prática, tanto no casamento como no ministério.

Muitas esposas de pastores perguntam se há algum problema em se interessarem por áreas ministeriais diferentes daquelas em que o marido atua. A resposta é: claro que não! Você não precisa trabalhar lado a lado com seu marido nos mesmos projetos para colaborar com ele. Podem esforçar-se em direção a um alvo em comum enquanto fazem coisas diferentes. Quando os judeus reconstruíram os muros de Jerusalém sob a direção de Neemias, metade do grupo trabalhou na reconstrução, enquanto a outra metade protegia os construtores. O que teria acontecido se todos houvessem se dedicado a edificar o muro? Os inimigos os teriam massacrado. E o que teria acontecido se todos houvessem montado guarda? O muro não teria sido reconstruído. Foram necessárias duas equipes trabalhando em conjunto para que a obra de Deus fosse realizada. Embora estivessem desempenhando funções diferentes, trabalhavam em prol do mesmo objetivo.

Compartilhem o sonho como família

Sejamos honestas: filhos de pastor têm uma vida difícil em vários aspectos. Enfrentam os mesmos desafios que nós, mas desde pequenos. Também precisam crescer e amadurecer sob o escrutínio e a atenção de membros da igreja ocasionalmente insensíveis ou de adultos com expectativas absurdas. Por isso, dedicarei um capítulo mais adiante à educação dos filhos na família de pastor. A presente seção trata de maneiras práticas de ajudar seus filhos a participarem do sonho.

Creio de coração que não há maior herança para nossos filhos que a consciência de que o ministério não é apenas para o pai, mas também para a mãe, e os irmãos e irmãs. A certa altura, seus filhos também têm de vestir a camisa. Se não se tornarem parte do sonho que Deus deu a você e seu marido, ficarão amargurados e desiludidos e se ressentirão sempre que o telefone tocar, ou vocês tiverem de sair e não puderem passar tempo com eles. Em contrapartida, se adotarem o sonho e entenderem que os pais estão trabalhando em algo maior que a família, se ressentirão menos do tempo que vocês passam longe deles.

Eis três maneiras de ajudar seus filhos a vestir a camisa de seu sonho. Primeiro de tudo, ensine-os a orar pelo ministério que Deus os chamou a realizar. Quando meu filho Josh tinha 6 anos, começamos a negociar o terreno para construir nosso primeiro templo. A igreja estava tendo dificuldades de obter o financiamento necessário, e parecia que a negociação não daria certo. Foi um tempo de ansiedade para nós. Rick organizou na igreja uma campanha de oração, da qual nossos filhos também participaram. Josh orava fielmente todas as noites antes de dormir. Confesso que, muitas vezes, eu esquecia. Estava com pressa de terminar o dia e pensava: "É hora de dormir. Meu turno de mãe acabou". Mas Josh me chamava de volta e dizia: "Mãe, a gente não orou pelo terreno". Então, fazia orações lindas, como: "Querido Deus, sei que o Senhor vai nos dar aquele terreno. Sei que vai convencer o banco a dar o dinheiro de que precisamos". Amy e Josh (com 8 e 6 anos na época) tinham grande fé, e a fé que tinham me fortaleceu para prosseguir nos momentos de desânimo com a aquisição do terreno e a construção da Igreja Saddleback.

A segunda maneira de ajudar seus filhos a vestir a camisa é ensiná-los, desde pequenos, a contribuir financeiramente com regularidade e alegria. Desse modo, sentem-se envolvidos com aquilo que é importante para vocês e participam do investimento da família em determinado lugar. Quando nossos filhos eram bem pequenos e mal sabiam andar, dávamos para eles trinta centavos por semana: dez centavos para a igreja, dez para gastar como quisessem e dez para economizar. Talvez você esteja pensando: "Não era muito justo. Você os fazia entregar como dízimo e ofertas mais de 33% do que recebiam!". Mas facilitava a vida para mim! Dez centavos iam para esta caixa, dez iam para aquela, e dez para aquela outra. Não sabiam que estavam ofertando além do dízimo. Simplesmente se alegravam em contribuir.

Durante as muitas campanhas para a aquisição do terreno e para a construção da igreja, eles contribuíram com seus próprios recursos. Houve ocasiões em que venderam brinquedos e outros objetos que estimavam a fim de poderem contribuir de modo sacrificial. Sempre foi decisão deles, não nossa, embora tenhamos apresentado um modelo de contribuição sacrificial que pudessem adotar. Também nesse caso, o objetivo era ensinar que tudo o que consideramos valioso (tempo, dinheiro e talentos) pertence a Deus, e lhes dar oportunidades de participar da vida de nossa igreja e do reino de Deus.

Uma terceira forma de envolver seus filhos é lhes dar uma tarefa no ministério. Não é preciso esperar que cheguem à adolescência. Nossa filha Amy começou a ajudar a cuidar de crianças menores nos cultos matinais quando tinha 9 anos, e continuou a fazê-lo até o ensino médio. Na época, tínhamos três cultos aos domingos. Ela participava de sua classe de escola dominical no primeiro culto, ficava comigo durante o segundo e trabalhava com as crianças em idade pré-escolar no terceiro. Era seu ministério, e ela o fazia com gosto. Sentia-se valorizada pelo modo como contribuía com nossa igreja. Com o tempo, sua compaixão por sofredores a levou a ministrar a pessoas em situação de rua em Los Angeles e a participar de trabalhos com portadores de AIDS.

Quando Josh tinha 10 anos, começou a recepcionar quem chegava à igreja. Ficava perto de uma das escadas no santuário e, todo animado, entregava boletins e dava boas-vindas calorosas a todos. Levava seu trabalho tão a sério que, se um adulto aparecesse para ficar em seu lugar, ele se sentia magoado. Josh também ajudou na mesa de som (no tempo em que os sermões ainda eram gravados em fitas cassete!), vendeu bolo, ajudou a cuidar de bebês e crianças pequenas, foi professor de escola dominical de crianças do ensino fundamental e líder de um pequeno grupo para adolescentes quando estava na faculdade.

E, apesar de Matthew ter de lidar com desafios contínuos, ainda assim ajudou no ministério de reciclagem, separando lixo para coletar garrafas e latas. O dinheiro da venda desses itens era usado para comprar Bíblias distribuídas em viagens missionárias. Também ajudou no trabalho com crianças e, quando era adolescente, foi líder de um pequeno grupo para meninos do ensino fundamental. Todos os nossos filhos participavam da viagem anual para o México durante as férias, servindo a Jesus com irmãos e irmãs de outra cultura.

Algumas de vocês têm histórias incríveis para contar de como seus filhos servem a Jesus: ao trabalhar com a mesa de som, tocar em conjuntos musicais, liderar o louvor, lecionar na escola dominical, limpar o templo, recolher lixo, distribuir boletins, trabalhar no jardim da igreja, pintar paredes, organizar bazares a fim de arrecadar fundos para projetos missionários, e assim por diante. A esperança é que esses atos de serviço ajudem nossos filhos a sentir que pertencem a sua comunidade de fé, em vez de criar ressentimento ou a impressão de que estão sendo usados. Se seus filhos forem obrigados a realizar quaisquer dessas coisas pelos pais ou pela liderança da igreja, é provável que isso exerça impacto negativo sobre eles e sobre seu desenvolvimento espiritual. Meu conselho é que essa questão seja tratada com delicadeza e bondade. Infelizmente, é fácil as crianças misturarem as coisas e confundirem quem Deus é com ações ocasionalmente maldosas de membros da igreja ou de pais ansiosos demais para agradar o conselho da igreja.

Tenho certeza de que Amy e Josh se importam tanto com a saúde e o bem-estar da Saddleback hoje porque investiram orações, dinheiro e serviço nessa comunidade desde a infância. Entendem o que estamos fazendo e o motivo de o fazermos. Entendem que o reino de Deus é muito maior que nossa pequena família. Interessam-se profundamente pela direção, visão, saúde e bem-estar dos integrantes da equipe de liderança e dos membros. Por vezes, temos conversas acaloradas em família com nossa nora e genro do coração e nossos jovens netos sobre os assuntos da Saddleback. Há ocasiões em que as discussões se tornam intensas, mas são resultado de amor constante e décadas de investimento pessoal na família de Deus que temos o privilégio de servir.

“Acredito em você”

Falar sobre como compartilhar o sonho me leva a outra pergunta. Quando foi a última vez que você disse a seu marido: “Acredito em você. Dou apoio total ao que você está fazendo. Não entendo tudo e até me assusto com alguns dos planos, mas acredito em você”? Talvez você nunca tenha expressado esse pensamento verbalmente.

Alguns anos atrás, depois que compartilhei essa ideia em um congresso, uma esposa de pastor veio me procurar e disse: "Sabe de uma coisa? Não percebi que nunca tinha dito essas palavras de afirmação para meu marido. Acho que simplesmente imaginei que ele soubesse que acredito nele. Afinal, que outro motivo eu teria para ficar ao lado dele em meio a tudo o que passamos? Poderia estar fazendo alguma outra coisa!". E prosseguiu: "Ontem à noite, voltei para casa e disse: 'Acredito em você. Apoio seu ministério 100%'. Em lágrimas, ele respondeu: 'É bom demais saber que você se importa tanto'".

Qual foi a última vez que você disse a seu marido que acredita nele? Até que ponto você o apoia? Com certeza ele não é perfeito, e é provável que ele se atrapalhe e cometa erros de vez em quando. Talvez diga coisas que a deixam envergonhada, ou faça coisas de forma diferente do que você as faria. Ainda assim, ele precisa ouvir: "Eu o admiro. Acredito em você. Sou grata pelo privilégio de compartilhar a vida e o ministério com você". É possível que, ao dizer com sinceridade essas palavras para seu marido, você lhe dará a coragem de experimentar coisas que ele jamais faria sem seu apoio.

Em resumo, podemos ser construtoras de sonhos ou destruidoras de sonhos. Muitas vezes, fui uma destruidora de sonhos. Em minha preocupação com as coisas práticas e meu desejo de trazer Rick de volta à terra, acabei com sonhos em vez de construí-los ou mesmo compartilhá-los. A maneira mais fácil de deixar seu marido arrasado, de apagar o Espírito na vida dele, de desencorajar tudo o que Deus quer fazer nele é ser uma destruidora de sonhos. Isso acontece quando, toda vez que ele apresenta uma ideia, você diz: "Não vai dar certo. Já tentamos antes. Lembra-se daquela experiência que foi um fracasso total? Lembra-se de quando Fulano tentou e do que aconteceu com ele?".

Se, em vez disso, você quer edificar seu marido, compartilhe o sonho dele. Aquele dia, tantos anos atrás, em que olhei nos olhos de Rick e disse: "Tenho medo de começar uma igreja, mas creio em Deus e acredito em você. Vamos em frente!", mudou a trajetória de nossa vida. Minha declaração de confiança, fé e crença nele sensibilizou seu coração em relação a mim. Seus olhos ainda se enchem de lágrimas quando ele conta essa história. Quem diria que as palavras simples de uma esposa jovem e imatura ecoariam ao longo de nosso casamento nas décadas por vir?

Ao participar do sonho ministerial, você começará a entender sua importância e seu papel fundamental para o sucesso da obra de Deus. E o sonho ministerial compartilhado dará novo fôlego a seu casamento. Ao trabalharem juntos como equipe, com objetivos em comum e se comunicando em profundidade, vocês crescerão em intimidade e união.

O poder da colaboração em longo prazo

Talvez para algumas de vocês pareça que estou exagerando a necessidade de ter um sonho em comum e colaborar com seu marido. É possível que não estejam convencidas de que é mesmo necessário. Sua tendência é minimizar a importância de juntar seus mundos, de focalizar menos sua vida como casal e mais sua vida como pessoa. Talvez você diga: "Sou mulher antes de ser esposa". Verdade! Você e eu *somos* indivíduos antes de ser esposas, mães, filhas, irmãs, amigas ou obreiras, e prestaremos contas a Deus primeiramente de nossa vida e de nosso relacionamento com Jesus Cristo. Em algum momento, porém, Deus talvez pergunte: "Quão próxima você foi daquele homem no ministério? Tornou-se uma só carne com ele apenas fisicamente? Compartilhou somente a mesma cama e teve filhos com ele, ou também se tornou uma só carne com ele emocional e espiritualmente?".

Há milhares de obstáculos para a união no casamento: famílias de origem disfuncionais, egoísmo, imaturidade, feridas emocionais, confiança traída, transtornos mentais, vícios, uma agenda demasiadamente cheia, fases da vida, e até mesmo diferentes conceitos de união. Suponho que a lista seja infindável. Para completar, é impossível obrigar alguém a se unir a você; a outra pessoa precisa escolher a união de forma propositada e voluntária a cada dia ao longo de toda a vida. Talvez, ao ler este capítulo, você tenha percebido que é necessário fazer alguns reparos em seu casamento. Não espere e não procrastine. Eis a motivação para realizar o trabalho árduo de tornar-se um só:

Não há limites para o que Deus pode fazer
por meio de um homem e de uma mulher
que caminham lado a lado,
de mãos dadas,
compartilhando um sonho.

3

Aceite quem você é

> A alma que aprendeu o feliz segredo de ver a mão de Deus em tudo o que lhe diz respeito não é vítima de medo; enxerga além de todas as causas secundárias, vê o coração e a vontade de Deus, e repousa contente, pois ele reina.
>
> SUSANNAH SPURGEON,
> esposa de Charles Spurgeon

Depois de cinco minutos no ministério, se tanto, você se dará conta de que disse "sim" para Deus de uma forma que desafiará todas as áreas de sua vida; escolheu uma das profissões mais difíceis que existem. Há privilégios, oportunidades e alegrias inacreditáveis, mas também há imprevistos, desânimos, decepções e tensões como nenhuma outra ocupação. Não é um compromisso simples, e não é para quem deseja uma vida de conforto. Alguém concorda comigo?

Desejo ser bem-sucedida no ministério, e desejo que você também seja, mas precisamos definir sucesso. Rick e eu sempre ensinamos que sucesso no ministério não tem a ver com resultados numéricos nem com reconhecimento; antes, significa crescer, desenvolver-se e fortalecer-se em seu chamado e em seu caráter. Não quero desabar quando chegar à aposentadoria, nem quero sair do ministério prematuramente porque estou esgotada, amargurada, desiludida, cínica ou cheia de arrependimento. Ser bem-sucedida é viver com integridade, empolgação e compromisso de ser semelhante a Cristo; é amar sua igreja, sua Palavra, seu mundo e as pessoas que ele criou; é ter crescimento pessoal em todas as áreas da vida; é desenvolver seus dons; e, acima de tudo, é terminar bem.

Para terminar bem, precisamos começar bem e viver bem, tornando-nos cada vez mais aptas a lidar com as vicissitudes do ministério. Precisamos ser capazes de enfrentar as circunstâncias mais difíceis com graça, construir um casamento e uma família vigorosos enfrentando a luz dos holofotes, encontrar o equilíbrio entre as necessidades da igreja e da família e nossas necessidades pessoais, manter sempre a integridade, encaminhar as pessoas para Jesus, falar em nome dos que não têm voz e, com frequência, fazer tudo isso com um salário equivalente ao de um estagiário.

Sem dúvida, precisamos ser mulheres seguras, fortes e comedidas. De que outra maneira poderíamos viver bem e terminar bem? E, no entanto, aí mora o problema. Ao conversar com milhares de esposas de pastor de toda parte dos Estados Unidos e até mesmo ao redor do mundo ao longo dos últimos quarenta anos, essas irmãs queridas apresentaram um tema recorrente. Muitas vivem com uma profunda sensação de inadequação, uma debilitante falta de valor próprio e de confiança e um terrível medo de que não ficarão à altura das expectativas (reais ou imaginadas) associadas à função de esposa de pastor.

Também encontrei esposas de pastor que transbordam de confiança, capacidade e competência. Lideram com firmeza e segurança, e seus desafios no ministério são em outras áreas. Mais frequentemente, porém, as mulheres com as quais converso têm dificuldade com sua autoimagem. Assim, peço àquelas que não se identificam com essa situação que tenham paciência com o restante de nós, enquanto desenvolvemos uma percepção mais exata, realista e bíblica de nós mesmas. Tenho convicção de que cada uma de nós é:

- comum
- capaz
- segura

Não há nada de errado em ser comum

Eu sabia desde pequena que era uma pessoa comum, e não estava *nada* satisfeita com essa ideia. Parecia uma sentença de morte. Desejava brilhar de alguma forma especial, estar acima da média, ser *extra*ordinária. Na infância, esforçava-me ao máximo para me destacar na escola e estudava com diligência. Infelizmente, por maior que fosse minha dedicação, do jardim da infância à faculdade meu boletim nunca veio apenas com a nota máxima. Não me saía mal, mas não passava de uma aluna mediana. Era desanimador, mas não devastador. Dizia para mim mesma que havia outras áreas nas quais poderia buscar a excelência e me sobressair.

Quando quis aprender a tocar piano, meus pais compraram, com muito sacrifício e economia, um piano usado que custou a soma astronômica de 150 dólares. Fiz aulas e comecei a sonhar que me tornaria uma concertista que viajaria pelo mundo encantando as pessoas com a beleza e a emoção de minha música. Dá para imaginar que rumo essa história toma? Tornei-me pianista da igreja aos 12 anos, mas não demorei a descobrir que, também na música, era apenas mediana. A turnê mundial como concertista não aconteceria.

A decepção começou a se acumular em minha alma quando percebi que a porta de mais uma oportunidade para alcançar a excelência havia se fechado.

Ao entrar na adolescência, ainda estava à procura da maneira perfeita de me destacar e ser mais que mediana ou comum. Resolvi que desejava ser linda, como se fosse algo que pudéssemos escolher; meu alvo era tornar-me parecida com a Miss América. Não demorei a perceber, com tristeza, que jamais seria uma mulher linda; seria apenas uma mulher comum. Não me entenda mal. Sei que não sou feia (ninguém nunca desmaiou ao olhar para mim), mas desejava *algo mais. Desejava ser deslumbrante.*

Era como se eu fracasse em tudo o que tentava. Minhas ambições de excelência acadêmica e musical e de beleza estonteante não deram em nada. As coisas da vida que eu esperava que me tornassem especial e me tirassem de minha existência mediana estavam fora de meu alcance. Eu era apenas uma garota comum.

Então, casei-me com Rick. Tudo o que ele tocava se transformava em ouro. Saía-se bem em... tudo. No fim do ensino fundamental e no ensino médio, era presidente do grêmio estudantil, só tirava notas altas e todos gostavam dele. Sua mãe exibia seus troféus com orgulho na sala de estar. De comum Rick não tinha nada.

Quando começamos a Igreja Saddleback, eu era tímida e insegura a respeito de mim mesma e de minhas aptidões. A meu ver, Rick era um homem extraordinário e tinha errado ao se casar comigo, uma mulher extremamente comum. Eu lecionava para crianças na escola dominical não porque tinha aptidão com essa faixa etária, mas porque era um lugar seguro para me esconder. As crianças não tinham como saber se eu contava as histórias bíblicas corretamente ou de trás para a frente!

Jamais me esquecerei do momento em que essa questão de baixa autoestima e comparação chegou a um ponto crítico. Aos 26 anos, eu era uma "mulher cristã mais velha" para as mulheres que haviam se convertido e se tornado parte da Saddleback logo no começo, embora, em idade, muitas delas fossem mais velhas que eu. Consideravam-me uma cristã madura, e coube a mim a responsabilidade de conduzir essas senhoras novas na fé, quer me sentisse capaz, quer não.

A igreja organizou um chá para mulheres, e fui escolhida para ser a palestrante. Ao dirigir para o evento, tive um colapso emocional e espiritual. Fui tomada de uma profunda sensação de fracasso, inadequação e incompetência. Comecei a chorar e soluçar, enquanto minha mente se enchia de cenas de minhas tentativas de ser a "melhor" esposa de pastor de todos os tempos. Fiquei com raiva de Deus e o metralhei com queixas. "Por que o Senhor não me criou mais inteligente? Por que não me fez mais bonita? Por que não me deu mais talentos e aptidões? Por que não deu a Rick uma esposa mais adequada para ele? Por que me criou tão mediana... tão comum... tão nada?"

Percebi que não podia chegar ao evento com o rosto manchado de lágrimas, então tentei me distrair. Liguei o rádio na estação cristã local e ouvi uma canção antiga, "Ordinary people" [Pessoas comuns]. A letra foi com uma flecha de esperança que atingiu meu coração. "Deus escolhe pessoas comuns. Escolhe pessoas como você e eu, dispostas a dedicar-lhe tudo o que têm, por mais insignificante que pareça."

Aquele momento transformou minha vida. Deus abriu as águas do meu entendimento. Enfim entendi que Deus havia permitido *intencionalmente* que eu fosse uma pessoa comum; não foi algo que aconteceu por acaso. Ele poderia ter me criado diferente, mais inteligente, mais bonita, mais talentosa, mas tinha *me escolhido* para ser uma pessoa mediana e comum. E não havia nada de errado com isso! Se Deus usasse apenas pessoas extraordinárias, muita coisa ficaria por fazer, pois ele criou muito mais pessoas medianas e comuns que pessoas extraordinárias.

Minhas lágrimas de queixa e frustração se tornaram lágrimas de gratidão. Comecei a refletir sobre João 6, a passagem na qual aquela canção é inspirada, e pensei no garotinho e na modesta refeição que ele entregou a Jesus. A partir daqueles pães e peixes, um milagre aconteceu. Jesus multiplicou a singela oferta e a transformou em alimento suficiente para saciar milhares de pessoas famintas.

Tudo o que eu tinha a oferecer para Deus era uma pequena refeição. Aliás, minha impressão era de que eu tinha um sanduíche de pão branco e sardinha para lhe entregar, enquanto outras pessoas tinham brioche e salmão. Comparada a elas, minha mediocridade parecia *nada*.

Naquele momento de clareza, porém, Deus me deu a oportunidade de repensar essa percepção de mim mesma e alinhá-la de modo mais próximo à maneira como ele me vê. Pude dizer: "Deus, escolho crer que o Senhor permitiu que eu fosse uma pessoa mediana e comum, e agradeço por ter me criado dessa forma. Desejo ser como o garotinho na história bíblica que não tinha muito para dar, mas que ofertou de bom grado tudo o que tinha. Ele não fazia ideia de como Jesus alimentaria milhares de pessoas com sua pequena refeição, mas confiou que Jesus era capaz de realizar milagres. Não sei como o Senhor pode fazer algo com o pouco que eu tenho, mas tudo o que sou e possuo é seu. Peço que multiplique minha oferta e faça um milagre. Realize essa obra em mim".

Nas décadas que se passaram desde aquele dia decisivo, tenho testemunhado os milagres realizados por Deus com o pouco que lhe dei. Ele abriu portas de oportunidade que ainda me deixam atônita de admiração e gratidão. Não faz sentido para mim; não há lógica humana, nem realizações humanas para as quais eu possa apontar e que me qualifiquem para algumas das coisas das quais tenho participado. Escrevi um livro a esse respeito, chamado *Say Yes to God* [Diga sim para Deus]. No fim das contas, Deus está fazendo o que ele faz melhor: transformando pouco em muito.

Você pode fazer a mesma escolha de ajustar sua percepção de si mesma. Continuará a se enxergar pelas lentes de sua infância? Continuará a crer nas mentiras que Satanás e outros lhe contaram a respeito de suas aptidões, de sua capacidade, de quem você é e de quem Deus a criou para ser? Dará ouvidos a elas? Ou ajustará sua percepção de si mesma e se enxergará como Deus a vê?

Talvez Deus a tenha criado para ser uma pessoa mediana e comum. Afinal, ele fez mais pessoas medianas e comuns que pessoas extraordinárias. A Bíblia é repleta de histórias de pastores, nômades, pescadores e camponeses, e tem apenas alguns reis, juízes, ricos proprietários de terras e comerciantes de sucesso. Portanto, não há nada de estranho em dizer: "Sou apenas uma pessoa comum. Não tenho qualidades excepcionais e notáveis que me tornam diferente de outros ou superior a eles". No ministério, porém, essa ideia pode se tornar uma armadilha. Pode ser usada pelo inimigo para nos desanimar, nos prender e nos levar a concluir que não temos nenhuma contribuição relevante a oferecer.

Talvez esta seja a oração mais importante a fazer depois de sua salvação: "Deus, o que tenho a oferecer não parece muito importante; sem dúvida não é espantoso. Há muitas outras pessoas mais talentosas, bonitas, inteligentes e competentes do que eu. Mas, isto é o que o Senhor me deu, e eu lhe devolvo tudo. Creio que o pouco se torna muito ao ser colocado em suas mãos, portanto peço que o Senhor multiplique miraculosamente o pouco que tenho".

Se você deseja evitar que o ministério a esgote, precisa aprender estratégias que a ajudarão a lidar com as dificuldades, tensões e pressões desse trabalho. O primeiro passo é aceitar a verdade a respeito de quem você é. Alegre-se de saber que Deus a escolheu para ser quem você é, e a ama exatamente como você é. Ele deseja que você entregue o que lhe parece tão pequeno a fim de que ele use sua vida para fazer algo miraculoso. Creia nisso.

Alegre-se de saber que Deus a escolheu para ser quem você é, e a ama exatamente como você é.

Você é mais capaz do que imagina

Depois que começamos a entender que a maioria de nós é comum, e não extraordinária, e nos sentimos à vontade com esse fato, o próximo passo é nos ver como pessoas capazes.

Provavelmente por causa da dificuldade de me aceitar como pessoa comum, eu não me acreditava capaz de oferecer uma contribuição que Deus pudesse verdadeiramente usar e abençoar. Então, li a passagem das Escrituras que abalou meu mundo interior. Filipenses 4.13 diz: "Posso todas as coisas por meio de Cristo, que me dá forças". Ou seja, estou pronta para tudo e posso enfrentar qualquer desafio por meio daquele que infunde força interior em mim; sou autossuficiente na suficiência de Cristo.

Esse versículo se tornou uma âncora para minha vida. Quero que seja gravado em minha lápide! Creio que será uma âncora para você também, pois trata da crítica interior que constante e implacavelmente nos acusa, nos julga e solapa a certeza de que podemos servir, liderar e ministrar com eficácia. Para quem não sabe, essa crítica interior é a voz que você ouve quando está se maquiando ou escovando os dentes, naqueles momentos em que olha para si mesma no espelho. Ela diz coisas como: "Se as pessoas a conhecessem de verdade, saberiam que você é uma impostora". Ou "Veja a Fulana; ela faz você comer poeira. De onde você tirou a ideia de que é capaz de levar adiante esse projeto ou dirigir esse ministério? Minha filha, pularam você quando distribuíram os dons. Desista".

Essa voz interior também pode nos levar a discutir com Deus a respeito do chamado que ele tem para nós. No fim das contas, tentamos negociar com ele. Dizemos: "Aceito isto, mas não aquilo", ou "Deus, vou servi-lo *neste* ministério, mas não *naquele*". Talvez você tenha dito: "Estou disposta a arrumar as cadeiras para o momento de comunhão depois do culto, mas não a fazer um estudo bíblico". Ou "Farei o que o Senhor quiser de mim aqui onde estou, mas não irei de jeito nenhum para o exterior numa viagem missionária".

Imagino que, pelo menos uma vez na vida, você tenha passado pela experiência de definir limites e parâmetros para seu serviço a Deus, como se ele não a houvesse criado e não soubesse para que a capacitou. Quando impomos limites para nossa obediência a Deus por causa de medos e inseguranças, também limitamos nossa intimidade com ele. Criamos uma distância entre Deus e nós quando lhe dizemos o que nos consideramos incapazes de fazer ou o que não estamos dispostas a fazer.

A verdade é: não importa que tarefa Deus a tenha chamado a realizar, ele a capacitará para ela! Como diz Martha Davidson, também esposa de pastor: "Não se limite por seus medos, nem por seus dons!".

Deus nos capacita de maneira extraordinária. Parafraseando Filipenses 4.13, sou autossuficiente na suficiência de Cristo. Em outras palavras, Deus infundiu sua força em mim. Não sou forte o bastante por conta própria, mas por meio da força que Jesus provê — sua força e seu poder de ressurreição — posso lidar com qualquer coisa que Deus tenha me pedido para fazer e ser quem ele me pediu para ser.

Se você ainda não tiver assimilado que é autossuficiente na suficiência de Cristo, terá dificuldade ao longo de todo o ministério e duvidará se é verdadeiramente capaz de fazer aquilo que Deus pediu a você. Esse modo de pensar limitará sua fé, o que, por sua vez, afetará as igrejas e os ministérios que você liderar.

Você está segura em Cristo

Não sei exatamente por que era tão temerosa e ansiosa na infância e adolescência e no início da vida de casada (descobri que há um longo histórico de ansiedade e depressão em minha família), mas costumava morrer de medo de que algo acontecesse com Rick. Esses temores chegaram ao ápice durante um congresso para pastores do qual Rick e eu estávamos participando. Maridos e esposas tinham atividades separadas em alguns momentos do dia, e uma das oficinas das quais participei foi ministrada por uma senhora que tinha sido esposa de pastor. A palestrante relatou que ela e o marido haviam trabalhado juntos no ministério durante muitos anos. Ele tinha pastoreado uma grande igreja e exercido papel importante na comunidade. No entanto, havia adoecido e falecido. Ela comentou: "Quando meu marido estava vivo, nossa caixa de correio estava sempre abarrotada de convites para palestras em grandes congressos e igrejas. Todos desejavam a presença e participação dele. Nossa vida era ocupada e agitada. Então, ele faleceu. O telefone parou de tocar. Nossa caixa de correio ficou vazia, e não houve mais convites para palestras. Comecei a sentir que não pertencia mais àquela comunidade, e nem mesmo à minha igreja". Com vulnerabilidade, expressou seus medos: "Talvez eu só fosse importante porque era esposa dele".

Quando ela disse essas palavras, senti uma pontada no peito. Não conseguia respirar.

Aturdida, voltei para nosso quarto no hotel, onde Rick me esperava, ansioso para contar como tinha sido a oficina da qual ele havia participado. Também tinha a expectativa de passar uma noite agradável em um quarto de hotel sem a interrupção dos filhos, um presente raro para pais de crianças em idade escolar. Ele não fazia ideia do quanto eu estava abalada com a pergunta que tinha começado a se formar em minha mente; não tinha como ver a escuridão que havia descido sobre minha alma nem o medo que me apertava o coração. Nossa conversa foi mais ou menos assim:

— Como foi a oficina? — ele perguntou.

— Terrível — respondi.

— Por quê? O que aconteceu?

— Nada.

— Então, qual é o problema?

— Não sei! Estou tão deprimida!

— Por quê?

— Não sei!

— Não entendi por que você está tão chateada — ele comentou, uma expressão de perplexidade estampada no rosto.

— Me deixa em paz!

— Pelo jeito você não está a fim de fazer amor, não é? — disse ele, dando-se conta de que seus planos para a noite tinha ido ralo abaixo.

— Não! — respondi entre lágrimas.

Vencido por minhas respostas desconcertantes, ele foi dormir. Deitada na cama do hotel, olhando para o teto, procurei acalmar meu coração disparado. De repente, ficou absolutamente claro o que havia acontecido. A reação de pânico ao relato da palestrante era resultado do medo cuidadosamente guardado de que eu só tinha valor porque era casada com Rick Warren. A Saddleback estava crescendo e exigia um bocado da atenção de Rick. Aos poucos, ele estava adquirindo renome e reconhecimento. Nossa caixa de correio vivia cheia; ele recebia mais convites do que tinha condições de aceitar. E se ele me deixasse ou falecesse? E se ficasse doente ou incapacitado e não pudesse mais pastorear? Eu ainda teria valor? Ainda haveria um lugar para mim? Teria alguma relevância independente desse homem com o qual havia passado tantos anos de minha vida?

Em meio às lágrimas, clamei: "Senhor, ajude-me! Meus pensamentos estão confusos. Não posso servir de todo o coração se viver com medo de que não terei mais valor caso algo aconteça com Rick, medo de não ser importante sem ele".

Aquela conversa com Deus no meio da noite foi transformadora. Com muito carinho, ele me lembrou de uma passagem das Escrituras sobre a qual eu tinha dado um estudo bíblico na semana anterior. Peço desculpas pela ligeira adaptação do texto bíblico, mas foi desse modo que o Espírito Santo aplicou esses versículos a minha vida.

Maldita é a mulher que confia no homem,
que se apoia na força humana
e afasta seu coração do SENHOR.
É como arbusto solitário no deserto;
não tem esperança alguma.
Habitará em lugares desolados e estéreis,
numa terra salgada, onde ninguém vive.
Feliz é a mulher que confia no SENHOR,
cuja esperança é o SENHOR.
É como árvore plantada junto ao rio,
com raízes que se estendem até as correntes de água.
Não se incomoda com o calor,
e suas folhas continuam verdes.
Não teme os longos meses de seca,
e nunca deixa de produzir frutos.

Jeremias 17.5-8

Que segurança e consolo saber que meu valor não está atrelado ao fato de ser casada com Rick Warren! Sou importante não porque sou esposa de um dos pastores da Saddleback. Sou importante porque Deus me idealizou. Ele me salvou e me preserva, e ele espera ansiosamente pelo dia em que nos encontraremos face a face. Sou importante porque sou sua filha amada.

Deus diz que este é o motivo pelo qual devo ser grata:

Quanto a nós, não podemos deixar de dar graças a Deus por vocês, irmãos amados pelo Senhor. Somos sempre gratos porque Deus

> os escolheu para estarem entre os primeiros a receber a salvação por meio do Espírito que os torna santos e pela fé na verdade.
>
> 2Tessalonicenses 2.13.

Além de ser "amada pelo Senhor", também fui escolhida por Deus:

> Visto que Deus os escolheu para ser seu povo santo e amado, revistam-se de compaixão, bondade, humildade, mansidão e paciência.
>
> Colossenses 3.12

A realidade dura e cruel é que Rick pode me abandonar. Não acredito, por um segundo sequer, que vá acontecer algum dia, e agora não me preocupo com isso, mas às vezes as pessoas fazem coisas totalmente inesperadas. Ele pode ter um derrame, ficar incapacitado e nunca mais pregar; nossa vida pode mudar em um instante. Rick pode morrer antes de mim. Sem dúvida, um dia deixaremos a Saddleback para que a próxima geração a conduza. A essa altura, não terei mais como desempenhar o papel e ocupar a função de esposa do pastor titular. Mas sou uma mulher segura. Minha confiança e segurança estão em Deus, e não no homem com o qual me casei nem na igreja que pastoreamos. A forte Palavra de Deus me diz que minha importância, meu valor e minha relevância não são, de maneira alguma, afetados pelas vicissitudes de minha existência.

A menos que você resolva essa questão dentro de seu coração, viverá ansiosa, insegura quanto à fonte de seu valor, questionando se é importante para o reino de Deus independentemente de seu marido e de sua igreja. Você é uma mulher valiosa pelo simples fato de que o Deus Todo-poderoso a ama, a criou, morreu por você e virá para buscá-la um dia.

Ele tem bons planos para você, planos para usar sua vida e seus dons. Não se deixe distrair pela ansiedade a respeito do motivo de seu valor.

A propósito, as mulheres não são as únicas a cair nessa armadilha de avaliar sua importância conforme padrões externos. Fazendo uma generalização ampla, enquanto algumas mulheres definem seu valor nos relacionamentos, alguns homens definem seu valor no trabalho. A boa notícia, porém, é que a mesma verdade maravilhosa se aplica a homens e mulheres. A importância e o valor de seu marido não estão atrelados à igreja na qual ele ministra nem à função que ele desempenha. O valor de seu marido não se deve àquilo que outros pastores dizem dele. A importância de seu marido não se deve ao tamanho do ministério que ele construiu. Mesmo que ele não alcance o sucesso que esperava, ou perca o emprego, ou tenha um problema de saúde e fique incapacitado, ou tenha de deixar o ministério por causa de um erro, ele ainda é importante para Deus. Ainda é filho amado de Deus. Nada pode reduzir a condição dele aos olhos de Deus.

Minha confiança e segurança estão em Deus, e não no homem com o qual me casei nem na igreja que pastoreamos.

Será impossível crescer no ministério se você desperdiçar energia emocional com o desejo de que Deus a tivesse criado para ser uma pessoa diferente. Será impossível crescer no ministério se você se encolher de medo diante das tarefas e dos alvos que ele já preparou para você. Será impossível crescer no ministério se você imaginar que seu valor depende de parâmetros externos como o trabalho de seu marido ou a igreja que vocês pastoreiam. Você é importante porque é amada de Deus.

A verdade que liberta

Quando descansamos e aceitamos quem somos, uma liberdade interior incrível passa a fluir nas profundezas de nossa alma. Somos capazes de nos mover livremente na vida e no ministério, confiantes que Deus multiplicará nossa mediocridade de formas miraculosas, de que somos autossuficientes na suficiência de Cristo, capazes e competentes para qualquer incumbência que ele coloque em nossas mãos. E confiantes de que nosso valor como pessoa está seguro e definido, pois somos amadas de Deus, não importa o que aconteça em nossa vida.

Ainda tenho dificuldade com essas questões? Sim, e com certa frequência. Às vezes, autores e palestrantes dão a impressão de que todas as suas lutas estão no passado; *agora*, estão completamente restaurados e curados e não tropeçam nem cometem erros. Não acredite neles. Estão mentindo para si mesmos e para você. Hebreus 10.14 diz: "Porque, mediante essa única oferta, ele tornou perfeitos para sempre os que estão sendo santificados". De acordo com esse versículo, a santificação — o processo de nos tornarmos semelhantes a Cristo em nosso caráter — é, ao mesmo tempo, um momento definitivo ("perfeitos para sempre") e uma acirrada e contínua luta entre quem somos e quem estamos nos tornando ("os que estão sendo santificados").

Isso significa que nem sempre acertamos. Às vezes, há uma lacuna. Contudo, é tranquilizador saber que Deus só deixará de trabalhar em nosso caráter quando Cristo estiver formado em nós; esse processo de santificação se estenderá até o dia em que Jesus vier nos buscar. Podemos ser pacientes conosco e uns com os outros. Como Paulo diz: "Tenho certeza de que aquele que começou a boa obra em vocês irá completá-la até o dia em que Cristo Jesus voltar" (Fp 1.6).

Quando eu estava escrevendo o primeiro capítulo deste livro, tive um dia de dúvida total acerca de mim mesma, a ponto de ficar arrasada. Fui atingida por um *tsunami* de insegurança, uma profunda aversão a minha mediocridade e desejos intensos de ser outra pessoa, alguém mais bonita, mais espiritualmente madura e, com certeza, mais talentosa. Naquela tarde, tinha uma longa lista mental de todas as mulheres que desejava ser em vez de mim mesma. Estava tão desanimada que enviei uma mensagem no Instagram praticamente suplicando por afirmação. Queria saber que era boa o suficiente, que era amada e que algumas pessoas leriam meu livro. Depois de clicar para "compartilhar", enchi-me de remorso. Dei uma bronca em mim mesma: "Kay Warren, que triste você lançar uma súplica *on-line*, para pessoas que nem conhece, e esperar que acalmem sua tempestade emocional!".

Pessoas maravilhosas responderam com "É isso aí, garota", "Amamos você" e "Vamos ler seu livro", e as mensagens fortaleceram minha autoconfiança por um tempo. No entanto, nessa ocasião, deixei de recorrer à única verdadeira fonte de autoconfiança: a Palavra de Deus e a verdade que ela revela a respeito de quem sou e de quem Deus me criou para ser. Fiz besteira. Às vezes ainda me esqueço de que Deus me criou para ser uma pessoa comum por um motivo (para que eu dependa dele). Esqueço que ele me preenche com a suficiência de Cristo para qualquer coisa e para todas as coisas e me ama não importa se eu escreva um livro ou se passe o resto da vida deitada no sofá comendo salgadinhos.

Você também pode ter a certeza de que Deus continuará a realizar a boa obra em você até o dia de sua morte. Não cessará de lembrá-la de que ele é especialista em transformar pouco em muito. Continuará a derramar a suficiência dele em você, dando-lhe a força, a energia e o entusiasmo necessários para cumprir seu chamado. Sussurrará em seu ouvido todos os dias que você é importante porque ele a escolheu, ele a ama e você pertence a ele. Você, minha irmã, está à altura de qualquer desafio pelo poder da ressurreição de Jesus Cristo.

4

Adapte-se a mudanças

Não sei o que Deus está prestes a fazer comigo,
mas me coloquei inteiramente em suas mãos.

CATHERINE BOOTH,
esposa de William Booth

Nossa casa fica em um terreno de esquina perto de um vale profundo no sul da Califórnia. Os famosos ventos de Santa Ana que, segundo o aparelho de medição de nosso vizinho, chegam a mais de 140 km/h, podem surgir a qualquer momento entre dezembro e fevereiro. Isso significa que, às vezes, vamos para cama às dez horas com uma brisa serena e somos acordados no meio da noite com ventos uivantes que arrancam árvores pela raiz, atiram para dentro da piscina os móveis do jardim e desnudam as plantas de todas as suas folhas. Acredite ou não, ninguém nos alertou para os ventos do vale antes de nos mudarmos para nossa casa nova no começo de dezembro de 1992. Na primeira noite, depois de um dia pesado de mudança, fomos nos deitar exaustos, esperando sono tranquilo. Algumas horas depois, Rick, nossos três filhos e eu fomos despertados por ventos intensos que, para nosso pânico, sacudiam as portas e janelas. A primeira coisa que veio a minha mente enevoada e confusa foi que estávamos no meio do arrebatamento, ou de um ataque nuclear, tamanho era o barulho e o tremor da casa. No mínimo, imaginei que o vento fosse levantar a casa no ar e depositá-la em Kansas, como no *Mágico de Oz*!

Não é uma excelente metáfora para a vida? Sabemos que as coisas não permanecem inalteradas, mas quando os ventos de mudanças sopram e derrubam nossa rotina, ainda assim ficamos aturdidas. Não sou uma pessoa muito flexível. Não gosto de mudanças, especialmente mudanças rápidas, caóticas ou inesperadas. A verdade é que gosto de controle! Controle é algo bom! Prefiro ver tudo e todos arrumados e organizados, como os patinhos enfileirados que vi em nosso quintal. Na primavera, uma mamãe pata chocou seus ovos atrás de casa e tentou adotar nossa piscina como seu novo lar. Rick fez um vídeo dele mesmo enxotando-os gentilmente. Ri ao ver o que os patinhos fizeram quando se assustaram. Em questão de segundos, graças aos instintos que Deus lhes deu, formaram com precisão militar duas fileiras perfeitas atrás da mamãe pata. Mas pessoas e circunstâncias não são como patinhos que se organizam automaticamente em fileiras retas e administráveis. Não foi sem esforço que aprendi com Deus a me adaptar, sem perder a compostura, às mudanças que aconteceram.

A vida no ministério é semelhante. Nada permanece inalterado: as pessoas de sua igreja mudam, as necessidades delas mudam, a comunidade ao seu redor muda, a cultura muda, sua família muda, você muda. Nem toda mudança, porém, é ruim; o importante é distinguir entre mudanças boas e saudáveis e aquilo que *não* deve mudar, não importa o quanto o chão estremeça sob seus pés ou quão ferozmente os ventos soprem ao seu redor.

Em nossos anos de trabalho na Igreja Saddleback, mudamos a estrutura, o local, os edifícios e os programas; mudamos nossa abordagem, o estilo de música e os funcionários. Nosso cabelo mudou, nosso peso mudou, nossa saúde mudou, nossa renda mudou e nossa família mudou. Pouca coisa em nossa vida permaneceu como era quando começamos em 1980.

Nos primeiros anos da igreja, Rick e eu desempenhávamos várias funções. Ele era o visionário, estrategista e pastor titular. Pregava nos cultos de domingo, dava estudos bíblicos durante a semana, realizava todos os batismos, casamentos e funerais. E eu fazia praticamente todo o resto. No início, era pianista e secretária da igreja, coordenadora do berçário e da pré-escola e professora da escola dominical. Uma das grandes vantagens do crescimento da igreja foi poder deixar funções que não casavam muito com minha personalidade ou meus dons espirituais e começar a me especializar em ministérios mais compatíveis com meu jeito de ser. Fui a primeira coordenadora voluntária do ministério feminino e principal professora de estudos bíblicos para mulheres. Lecionei na classe para novos membros durante anos. Com o tempo, pude me especializar em áreas pelas quais tenho ainda mais interesse ao atuar no ministério com universitários e, posteriormente, ao me tornar a primeira diretora da organização em prol de portadores de HIV da Saddleback. Agora, sou a catalisadora por trás da expansão do ministério de saúde mental em nossa igreja. Desempenhei tantos papéis e tantas funções diferentes ao longo desses anos! Cada uma dessas mudanças também exigiu capacidade de adaptação.

Algo que me pegou de surpresa foi experimentar tristeza e até aflição aguda à medida que a igreja crescia. Geralmente, consideramos o crescimento numérico uma mudança positiva, e de fato é, caso signifique que mais pessoas estão conhecendo Jesus como Salvador ou tendo acesso aos serviços oferecidos pela igreja à comunidade. Só não imaginei que esse crescimento também seria doloroso para mim.

Começamos a Saddleback com sete pessoas, e a hospitalidade sempre foi parte fundamental do trabalho de plantação da igreja. Gostava do fato de que todas as reuniões e estudos bíblicos eram feitos em nossa casa. Gostava de preparar refeições com os casais e os solteiros que foram se tornando parte de nosso pequeno grupo de pioneiros. Comíamos, conversávamos, orávamos e sonhávamos. No primeiro ano da igreja, convidei cada um dos membros para jantar conosco pelo menos uma vez. Para isso, preparava a mesma refeição duas noites na semana e convidava duas famílias, uma de cada vez. Depois, seguindo os passos da mãe de Rick, a mulher mais hospitaleira que conheci, decidi fazer uma ceia de Natal para toda a igreja em nossa casa, e repetimos a experiência por mais cinco anos. Reunia as esposas dos primeiros membros da equipe pastoral e, juntas, trabalhávamos feito loucas para preparar bolos, bolachas e tortas. Era uma delícia! Também recebia em casa uma vez por mês o grupo de novos membros. Mas a igreja cresceu rapidamente, e não pudemos mais realizar esses eventos em nossa casa, pois era pequena demais para tanta gente. Tive de parar de fazer a ceia de Natal depois que, em uma só tarde, quinhentas pessoas passaram por nossa casa e quintal (com uma área total de 130m²). Chorei quando percebi que não poderia mais oferecer hospitalidade de uma forma que tinha significado para mim. Por causa do tamanho da igreja, precisei abrir mão de algo que apreciava imensamente.

Hoje, as pessoas me abordam no pátio e dizem: "Sou membro da igreja há dez anos e sempre quis conhecer você". Choro por dentro quando ouço essas palavras, pois estava acostumada a conhecer cada um dos membros, seus parentes e até o cachorro. Há um princípio em ação neste caso que, com frequência é desconsiderado ou minimizado: o crescimento da igreja tem um preço. Talvez as pessoas não deixem de ir a sua casa, ou você não precise abrir mão de uma atividade que ama, mas, de algum modo, você experimentará a tristeza da mudança. Vivencie-a. Derrame algumas lágrimas se quiser. Depois, cultive gratidão pelas pessoas que estão conhecendo Jesus e saiba que o resultado faz o preço valer a pena.

Três perguntas para guiá-la em meio a mudanças

Já teve a sensação de que todo mundo na igreja tem uma lista de expectativas a seu respeito e àquilo que você deve fazer em cada ocasião? É comum os membros da igreja pedirem que a esposa de pastor participe de determinado ministério ou o lidere. E, mesmo quando não dizem nada, esperam que ela o faça. Decidir de quais atividades *você* deseja participar pode ser motivo de ansiedade e perplexidade. Nunca é divertido servir ou liderar por culpa, dever ou pressão, e é especialmente desagradável servir em uma área incompatível com sua personalidade. Uma dúvida comum a várias esposas de pastor (não apenas às novatas no ministério) é: "Como saber com que ministérios devo me envolver? Há diretrizes que eu possa seguir?".

Todas nós já tivemos de lidar com as expectativas da Irmã Fulana (e, por vezes, de nosso marido) em relação a nós, portanto desejo compartilhar com você três perguntas que me ajudam a avaliar oportunidades de ministério. Antes de apresentar essas perguntas, contudo, quero dar uma advertência. Há situações e épocas em que não há como deixar de lado todas as funções que não se encaixam com sua personalidade;

é possível que as circunstâncias a impeçam de fazer aquilo de que você realmente gosta. Estive nessa situação, mas ainda assim é importante fazer as seguintes perguntas a fim de buscar ministérios que proporcionem alegria em servir conforme permitirem as circunstâncias.

Qual é sua forma?

Deus nos projetou de modo singular, como diz Jó 10.8: "Tu me formaste com tuas mãos; tu me fizeste". Sua *forma* determina tudo a seu respeito: o tipo de pessoa que você é, do que você gosta ou não, o que a motiva e sua cosmovisão. Ela abrange estes cinco elementos:

- dons espirituais
- coração
- aptidões
- personalidade
- experiências

Dons espirituais

Tendo em vista o grande número de livros excelentes sobre dons espirituais, desejo apenas lembrá-la do quanto é importante levar esse aspecto em consideração ao fazer um balanço das características que Deus lhe deu como pessoa singular, capacitada para servir. Ao avaliar uma oportunidade de ministério, comece com seus dons espirituais.

Em 1Coríntios 12.4-11, o apóstolo Paulo apresenta uma explicação brilhante dos dons espirituais, isto é, dos dons que o Espírito Santo concede a cada cristão a fim de serem usados para o benefício de todos. Nos versículos 7 e 11 ele diz: "A cada um de nós é concedida a manifestação do Espírito para o benefício de todos. [...] Tudo isso é distribuído pelo mesmo e único Espírito, que concede o que deseja a cada um".

Creio que tenho os dons espirituais de profecia, ensino e discernimento, e meu dom principal é de ensino. Jamais teria descoberto esse fato a meu respeito se não houvesse superado o medo de ser uma pessoa comum, resolvido correr um risco e começado a liderar um estudo bíblico para cinco mulheres. Não sabia estudar a Bíblia sozinha. Sabia lê-la e sabia responder às perguntas de apostilas, mas não sabia coisa alguma a respeito de liderança nem de estudo e ensino da Bíblia. Mas essas cinco mulheres receberam bem minhas débeis tentativas de ensinar e liderar usando uma apostila adquirida numa livraria cristã. Para meu espanto, elas cresceram em sua fé recém-descoberta. Começaram a receber respostas de oração. Desenvolveram atitudes e comportamentos mais semelhantes aos de Cristo. Tornaram-se esposas e mães mais amorosas. Sua fé se expandiu. E eu fiquei abismada!

Eu ainda não tinha muita aptidão para ensinar, embora tivesse disposição de aprender. Participei de um curso para cristãos sobre como dar palestras e elaborar uma mensagem eficaz. Pedi a amigos de confiança que fizessem críticas honestas e me dessem *feedback*, e aprendi com suas sugestões. Passei a treinar sempre que tinha oportunidade. Comecei até a me oferecer para falar em outros ministérios da igreja e aceitei alguns convites para dar palestras fora da Saddleback. A princípio, e durante um bom tempo, morria de medo e sentia como se vestisse um "casaco" quando me levantava para falar — era segura e confiante — e depois o removesse quando descia do palco. Durante muitos anos, tive dificuldade de conciliar meu lado de professora com a parte introvertida de minha personalidade, que não gostava de ser o centro das atenções.

Aos poucos, ao longo dos anos, descobri que ensinar não era mais apenas uma tarefa a ser cumprida, ou mesmo um trabalho difícil. Descobri que amo ensinar mais que qualquer outra coisa. Sinto-me plenamente viva quando ensino a Bíblia ou exorto as pessoas a terem ações e comportamentos bíblicos, especialmente quando tenho a oportunidade de falar em nome daqueles que não têm voz. A moça que chorou a caminho da palestra para um pequeno grupo no chá de mulheres em 1982 ficou para trás. Em seu lugar, surgiu uma mulher que nunca se sente tão vibrante quanto nesses momentos incríveis de parceria com o Deus Todo-poderoso, pregando e ensinando as palavras que creio ter recebido dele.

Deus escolhe os dons para nós e garante que recebamos pelo menos um dom. Você sabe quais são seus dons espirituais? Está usando-os da melhor maneira possível em suas atuais circunstâncias? Tem medo de explorar as possibilidades? Não há nada de errado em fazer experiências e ver se algo combina com sua personalidade. Seja uma administradora sábia dos dons que lhe foram concedidos e use-os ao máximo para a glória de Deus e o bem da igreja dele. Adquira mais treinamento, mais experiência e mais desenvolvimento. Amplie os dons que você recebeu por meio de trabalho dedicado, prática, disciplina e coragem.

Coração

Provérbios 27.19 diz: "Como a água reflete o rosto, assim o coração reflete quem a pessoa é". Dos cinco elementos que formam você, o coração é o que se refere a suas paixões e motivações, àquilo que lhe dá ânimo para levantar-se pela manhã e faz você acelerar de empolgação. Você tem um batimento cardíaco singular não apenas fisicamente, mas também emocionalmente. Não estou me referindo a sua personalidade. Estou me referindo ao que a motiva e que lhe dá prazer e alegria no serviço a Deus.

Uma das paixões que me motivam, um trabalho muito importante para mim, consiste em encorajar cristãos a não se afastarem de Deus, a confiarem plenamente nele não importa o que aconteça, a desenvolverem uma intimidade tão profunda e autêntica com ele a ponto de não haver sofrimento que possa destruí-la. Sou repetitiva. Não paro de falar sobre isso, pois é uma de minhas maiores paixões. Meu coração se acende quando incentivo cristãos a não desistirem ou a não se afastarem de Deus em meio a circunstâncias difíceis.

Também sou apaixonada pelas pessoas que vivem à margem da sociedade, por aqueles que não têm voz neste mundo. Portadores de HIV, órfãos e crianças vulneráveis, pessoas com transtorno mental e que lutam com pensamentos e ações suicidas são os seres humanos que tocam profundamente meu coração. Tenho o sincero desejo de que esses três grupos deixem de ser estigmatizados e maltratados e recebam o apoio de que necessitam para sobreviver e se desenvolver. Sinto-me motivada a falar por eles, usar em favor deles minha voz e minha projeção. Quando não estou falando sobre desenvolver intimidade com Deus, estou falando sobre transtornos mentais, HIV ou órfãos, e como a igreja de Jesus Cristo é chamada a se envolver de maneiras práticas e sacrificiais. E gosto especialmente quando tenho oportunidade de entretecer todas essas paixões em uma só mensagem!

Se você não sabe identificar o que impele seu coração, procure se visualizar em um dia sem responsabilidades, sem obrigações, talvez deitada na praia, tomando sol. Que tema vem à tona quando sua mente está quieta e tranquila? O que lhe ocorre ao pensamento repetidamente? Os temas ou pessoas que estão sempre em seus pensamentos são uma forte indicação das paixões de seu coração e das motivações que a impelem.

Trata-se de algo importante, pois quando trabalhamos com o que amamos, somos mais produtivas do que quando gastamos tempo e energia em trabalhos dos quais não gostamos. Viver conforme seu coração é uma das chaves para ser eficaz. Como Rick costuma dizer, descubra o que você ama fazer, aquilo que Deus a criou para fazer, e faça-o para a glória dele.

Aptidões

Considere os versículos a seguir:

> Todas as mulheres com habilidade para costurar e fiar prepararam fios de tecido azul, roxo e vermelho e tecido de linho fino. Todas as mulheres que se dispuseram usaram sua habilidade para fiar o pelo de cabra.
>
> Êxodo 35.25-26

> O SENHOR lhes deu habilidade especial para gravar, projetar, tecer e bordar linho fino com fios de tecido azul, roxo e vermelho. São excelentes artesãos e projetistas.
>
> Êxodo 35.35

> Moisés chamou Bezalel, Aoliabe e os demais artesãos especialmente capacitados pelo SENHOR e que estavam dispostos a realizar a obra.
>
> Êxodo 36.2

Aptidões são talentos naturais que possuímos. Esses versículos mostram que até mesmo nossas aptidões naturais são presentes de Deus; são concedidas a todas as pessoas e são diferentes dos dons espirituais, que somente os cristãos possuem. Talvez tenha havido ocasiões em que você concluiu que não tinha *nenhuma* aptidão, mas cientistas afirmam que cada pessoa tem entre quinhentas e setecentas aptidões. Talvez não consideremos que levantar o braço acima da cabeça seja uma aptidão, mas se você não pudesse fazê-lo, garanto-lhe que sentiria a perda dessa capacidade.

Eu não tenho aptidão nenhuma para matemática, ciências ou negócios; sou *péssima* nessas três áreas. Começo a suar frio quando meus netos me pedem ajuda com a lição de casa de matemática. A verdade é que não conseguia entender a matéria no quarto ano; o que me faz imaginar que serei capaz de entendê-la agora? Não ficou mais fácil ao longo das últimas décadas. Peça-me para explicar as leis da termodinâmica, e eu estarei perdida. Cite alguma figura importante do mundo dos negócios hoje, e eu farei cara de paisagem. Simplesmente não me interesso.

Tenho verdadeiro gosto, porém, por vocabulário e gramática da língua inglesa, por história e música. Pergunte-me a etimologia de uma palavra, e eu me virarei do avesso para descobri-la. Kaylie, minha neta de 13 anos, e eu competimos uma com a outra para usar palavras incomuns em nossas conversas. Não precisamos saber o que elas significam, mas temos de saber como grafá-las corretamente. Fale-me de qualquer período da história, e prenderá minha atenção. Música é tão necessária quanto ar para mim; alimenta a alma e é uma companheira constante.

Sabe do que gosto mais? De detalhes! O título afetuoso que alguns membros da equipe na Igreja Saddleback me deram é Ministra das Minúcias. Adoro analisar planos e propostas e encontrar os furos. Houve ocasiões em que Rick disse, frustrado: "Por que você não tem uma atitude mais positiva? Por que sempre vê os aspectos negativos e os furos? Que tal prestar atenção naquilo que o plano tem de melhor?". Eu vejo as coisas maravilhosas, mas também vejo onde algo está aquém ou ausente. Faz parte do modo como Deus me criou e das habilidades que me deu. Graças a isso, sou uma excelente revisora. Aliás, nos primeiros quinze anos da Saddleback, nenhum boletim semanal ou outro material importante era impresso sem que eu verificasse antes.

E você? Que aptidões lhe ocorrem tão naturalmente que você nem pensa nelas? Em que áreas as pessoas a elogiam e dizem: "Você é ótima em..."? Muitas vezes, fazemos pouco desses elogios e imaginamos: "Todo mundo sabe fazer isso!". Temos a tendência de minimizar nossas aptidões naturais, pois nos sentimos tão à vontade com elas que não parecem importantes; não percebemos que são, de fato, habilidades que outros não têm. Que aptidões Deus lhe deu, e como a ajudam a entender onde servir no ministério?

Personalidade

Como foi que Deus a formou nesse aspecto fundamental? Sua personalidade é mais extrovertida ou introvertida? Ou está em algum ponto entre os dois extremos? Você é obsessivamente organizada ou um tanto bagunçada? Sente as coisas com intensidade ou é menos emotiva? Gosta de atividades que envolvam risco ou prefere coisas conhecidas e seguras? Considera que regras existem para ser quebradas, ou seguir as regras parece o mais lógico a fazer? Gosta de processar seus pensamentos com outras pessoas, ou prefere guardá-los para si até chegar a uma conclusão? Somos todas tão diferentes!

Eu sou bastante emotiva. Minha personalidade é introvertida e melancólica; sinto *todas* as emoções intensamente. Talvez eu dê a impressão de ser extrovertida, pois gosto de ensinar e pareço ficar à vontade no palco ou sob os holofotes, mas não tenho uma personalidade ou um temperamento extrovertido. Sempre tive certo grau de ansiedade social e, como mencionei, minha tendência em um ambiente social é ficar no canto da sala ao lado da planta, conversando com a mesma pessoa e compartilhando coisas profundas da vida. Não tenho o desejo natural de interagir com cada um dos presentes e dizer: "Oi! Tudo bem? Que bom ver você!". Posso agir desse modo quando estou viajando e dando palestras — geralmente os participantes de um evento esperam cumprimentar a palestrante e conversar com ela um pouco —, mas é uma aptidão adquirida. Aprendi a fazê-lo porque é parte importante do chamado de Deus para minha vida, mas provavelmente nunca será algo *fácil* para mim.

Há uma pressuposição tácita e insidiosa de que somente extrovertidos podem *verdadeiramente* servir a Deus; tanto introvertidos como extrovertidos acreditam nessa ideia. Isso me entristece muito, porque caímos na armadilha de exaltar um tipo de personalidade acima de outro, até para nós mesmas. Deus nos criou propositadamente com uma ampla diversidade de características, traços e peculiaridades de personalidade, e ele se deleita em cada variação. Cada uma tem a finalidade de revelar algum aspecto de quem ele é, e cada uma é necessária para o corpo de Cristo. Vocês que são do tipo despreocupado e que não se estressam com nada trazem calma no meio do caos. E sem vocês que são do tipo organizado e que desejam tudo feito à sua maneira ninguém realizaria coisa alguma. Vocês que são do tipo emotivo, extremamente sensível e introspectivo nos ajudam a enxergar a vida pela ótica da compaixão.

E vocês que são do tipo exagerado, ativo e enérgico nos fazem rir e brincar. De que maneira sua personalidade específica dá forma a seu ministério?

Experiências

Ao avaliarmos como as mãos de Deus nos formaram e nos moldaram para o ministério, precisamos perceber que nossas experiências de vida são o elemento mais relevante, e isso inclui todas elas, boas ou más. É proveitoso fazer algumas perguntas para si mesma a respeito de suas experiências de vida: "Em que tipo de lar cresci? Quais foram minhas experiências educacionais? Quem são minhas amigas mais chegadas? Quais são minhas experiências profissionais? Quais foram os melhores momentos até aqui? Quais foram as experiências mais dolorosas?".

Comentei anteriormente que venho de uma conservadora família de pastor. Fui filha única até os 8 anos, quando nasceu meu irmão, Andy. Nosso lar era tranquilo, sem grandes conflitos, cheio de amor e bondade. Mudamo-nos várias vezes durante minha infância, quando meu pai era transferido de igreja. Eu sempre era a garota nova, e nunca me sentia totalmente enturmada. Era uma aluna mediana. Minha vida social girava em torno da igreja e de suas atividades. Conhecia pouca coisa fora da igreja e do lar. Entrei para uma faculdade cristã, onde conheci Rick, e mais adiante começamos a Saddleback. Tive três filhos lindos. Tenho oportunidade de escrever, pregar e ministrar de modo bastante amplo.

Mas, como já disse, nem tudo foi positivo ou agradável. Comentei no capítulo 1 que, quando pequena, sofri abuso sexual do filho adolescente do zelador da igreja. Lutei com o vício em pornografia. Rick e eu tivemos vários problemas no casamento durante anos e anos. Tive câncer de mama e melanoma. Nosso filho mais novo tinha transtornos mentais e cometeu suicídio.

Sou quem eu sou hoje por causa de minhas experiências de vida — belas, alegres, realizadoras, gratificantes, dolorosas, assustadoras, horríveis, arrasadoras. Claro que trocaria algumas delas sem hesitar. Ao mesmo tempo, tenho forte consciência da maneira pela qual Deus me moldou para os propósitos *dele*.

Portanto, reflita sobre suas experiências de vida. Que coisas boas aconteceram com você? Como a escola e suas experiências educacionais a moldaram? Que escolhas profissionais afetaram quem você é hoje? Que experiências dolorosas você vivenciou? Quais são os segredos de seu passado? Como a afetam agora? Como todas essas peças de sua identidade se encaixam umas nas outras? Seus dons espirituais, seu coração, suas aptidões, sua personalidade e suas experiências — de que maneira tudo isso se combina para moldá-la de modo a ser eficaz no ministério para Deus?

Em um jogo de tabuleiro, geralmente há uma casa que diz "começo". Essas perguntas a respeito de como Deus a formou são o ponto de partida para avaliar as oportunidades de serviço disponíveis no ministério. Fornecem um princípio concreto para analisar que áreas do ministério harmonizam com o modo como Deus a formou. Revelam atividades nas quais existe maior probabilidade de você se sair bem e atividades nas quais provavelmente terá dificuldade de encontrar realização e ser produtiva.

A que voz dou ouvidos?

Se nos perguntassem a que conselhos devemos dar atenção, que voz devemos ouvir acima de todas as outras, como boas cristãs responderíamos: "Aos conselhos de Deus. Devo ouvir a voz dele". Na realidade, porém, muitas vezes damos ouvidos à voz de todos, menos de Deus. Damos ouvidos à Sra. Fulana, esposa do presidente do conselho de diáconos ou de presbíteros, segundo a qual deveríamos fazer A, B ou C. Ou damos ouvidos a uma amiga que admiramos e respeitamos. Por vezes, as vozes em nossa mente formam uma cacofonia que encobre o sussurro do Espírito de Deus. Não há nada de errado em buscar o conselho das pessoas ao nosso redor, mas cometemos o erro de nos dirigir *primeiro* a elas. Como o salmista nos lembra, a voz de Deus precisa ser ouvida primeiramente e acima de tudo:

> Faze-me ouvir do teu amor a cada manhã,
> pois confio em ti.
> Mostra-me por onde devo andar,
> pois me entrego a ti.
>
> Salmos 143.8

Deus promete nos dar sabedoria quando a pedimos em oração.

> Se algum de vocês precisar de sabedoria, peça a nosso Deus generoso, e receberá. Ele não os repreenderá por pedirem. Mas, quando pedirem, façam-no com fé, sem vacilar, pois aquele que duvida é como a onda do mar, empurrada e agitada pelo vento.
>
> Tiago 1.5-6

Portanto, caso lhe seja dada uma oportunidade de servir e você se sinta pressionada a aceitar, mas não tenha certeza se é apropriada para esse momento de sua vida ou se harmoniza com os elementos de sua forma, pare e pergunte-se que voz a está chamando. É uma voz humana? Ou é a voz de Deus?

Se for uma voz humana, evite-a a todo custo. Não se envolva. Nosso maior compromisso é com Deus, não com outros seres humanos, por mais "importantes" que pareçam ou por mais convincentes que sejam suas vozes.

É extremamente difícil para algumas mulheres dizer não a seu pastor/marido. Afinal, supostamente ele tem uma linha direta com Deus, não é mesmo? Errado. Por mais maravilhoso e piedoso que ele seja, não tem automaticamente uma ligação mais forte com Deus que você; o Espírito de Deus habita em vocês dois, e falará a seu coração. Claro que Deus usa marido, filhos, amigos, desconhecidos e até inimigos para falar conosco em algumas ocasiões, mas somos tão capazes quanto eles de ouvir a voz de Deus. Quando buscamos a face de Deus de modo sincero e honesto e vivemos em sujeição a sua vontade, podemos ter certeza de que ele falará conosco e nos dirigirá a respeito de onde devemos servi-lo.

Nosso maior compromisso é com Deus, não com outros seres humanos, por mais "importantes" que pareçam ou por mais convincentes que sejam suas vozes.

Em seguida, é possível que precisemos estar dispostas a decepcionar alguma das outras vozes. Falaremos mais sobre isso no capítulo 10.

Minha vida de oração é suficiente para lidar com essa nova responsabilidade?

Além de precisarmos conversar com Deus em oração sobre aquilo que ele deseja que *façamos* no ministério, também precisamos estar dispostas a dedicar tempo em oração *em favor* dos ministérios que aceitamos. Precisamos analisar nossas responsabilidades presentes de modo honesto e realista e considerar quanto tempo teremos, de fato, para orar por essa possível nova responsabilidade.

Devemos viver de dentro para fora, e não de fora para dentro; devemos operar com base em convicções e certezas interiores, e não em pressões e obrigações exteriores. Devemos viver a partir de nosso coração e de nossa alma, e não de reações a circunstâncias e acontecimentos externos. Devemos ter uma vida impelida pelo Espírito, inteiramente dependente dele, e não impelida por nós mesmas e inteiramente dependente de nós mesmas. Se nossa vida de oração já está soterrada sob um número excessivo de compromissos e responsabilidades, e ainda assim aceitamos novas responsabilidades, estamos condenadas a fracassar. Ou melhor dizendo, a nova oportunidade de ministério está condenada a fracassar.

Ao começarmos a sentir o peso do novo ministério com o qual nos comprometemos, cientes de que não temos condições de dedicar a ele o tempo de oração que merece, batalharemos e trabalharemos na carne, e não no Espírito, motivadas por pressão e obrigação em lugar de convicção e certeza, e viveremos de fora para dentro, e não vice-versa.

Talvez você se lembre de uma ocasião em que aceitou com relutância mais uma responsabilidade ministerial como um favor para outra pessoa, quando tirou uma amiga de um aperto porque ela estava sobrecarregada. Pense comigo: se, por dever ou culpa, você disse "sim" para uma responsabilidade que não tem condições de honrar com oração, além de extrapolar seus limites, também pode estar privando outra pessoa da alegria de participar desse ministério. Deus se importa mais que você com esse ministério proposto, e cabe a ele prover os voluntários. Confie nisso. Às vezes, o ministério se desenvolverá em ritmo mais lento ou deixará de existir por um tempo pelo fato de não haver quem o realize. É melhor viver de dentro para fora, dependendo de Deus em oração, do que acrescentar mais um compromisso a sua agenda superlotada. Faça um favor a si mesma e ao ministério: diga "não". Diga "por enquanto não". Diga "talvez mais tarde" ou "em outro momento de vida". Mas não acumule responsabilidades quando você sabe que não poderá orar pelo ministério e pelas pessoas tão valiosas que ele alcança. Às vezes, "não" é uma resposta extremamente piedosa.

Às vezes, "não" é uma resposta extremamente piedosa.

Da próxima vez que alguém disser: "Você *precisa* se envolver nesse ministério/projeto/evento. É a pessoa certa para ele!", pare e faça essas três perguntas: Ele usa minhas características pessoais? A que voz estou dando ouvidos? Tenho condições de orar o suficiente por ele?

Confie nas mudanças que vêm de Deus

Não posso terminar esta conversa sem acrescentar que, por vezes, Deus destrói todas as nossas fórmulas e listas cuidadosamente elaboradas e pede que façamos algo completamente diferente daquilo que consideraríamos razoável e racional. Por isso ele é Deus. É soberano. O mundo pertence a ele, e cabe a ele definir as regras. Também é prerrogativa dele desconsiderar nossa lógica e ordem e fazer o inesperado quando for a melhor maneira de cumprir seus planos. Como diz Sr. Castor, personagem de C. S. Lewis em *O leão, a feiticeira e o guarda-roupa*: "Ele não é seguro. Mas ele é bom".[1]

Alguns anos atrás, minha vida estava perfeitamente organizada. Tinha certeza de que Deus continuaria a me usar para falar e ministrar especialmente a mulheres e a outras esposas de pastor. Gostava de escrever e dar estudos bíblicos para as mulheres de nossa igreja, e tinha um forte vínculo com as outras esposas de pastor que participavam de nossos congressos anuais sobre saúde da igreja. Estava feliz, percorrendo o caminho produtivo no qual Deus havia me colocado.

Então, li um artigo de revista sobre o problema da AIDS na África e o grande número de órfãos que a doença havia gerado. Deus lançou uma bomba sobre meu caminho feliz e mudou a trajetória de minha vida para sempre. Deixei de ser a mãe que ficava em casa para cuidar dos filhos e a esposa de pastor que dava estudos bíblicos. Tornei-me a porta-voz que viaja pelo mundo defendendo os direitos de pessoas com HIV e de 163 mil órfãos dessa crise, e que chama as igrejas locais a serem as mãos e os pés de Jesus em nossa realidade. Deus usou minhas características pessoais de maneiras que eu jamais poderia ter previsto.

Adaptei-me a essa nova jornada e desenvolvi grande amor por ela. Então, Matthew faleceu e, mais uma vez, o caminho que eu estava trilhando foi destruído. Dessa vez, porém, senti como se eu também tivesse sido feita em pedaços. De modo lento e árduo, estou descobrindo como Deus pretende usar essa terrível experiência de vida, enquanto suas mãos carinhosas me transformam na pessoa que ele deseja que eu venha a ser. Tenho convicção de que, com o tempo, eu me tornarei uma ministra ainda mais eficaz de sua graça e de sua bondade à medida que *todas as partes* de meu ser — os dons e habilidades que me foram concedidos, as paixões que me motivam, a personalidade que me define, as decisões que tomei e as coisas que aconteceram comigo — se reúnem de um modo que honra Jesus.

Deus é extremamente bom, e coloco-me nas mãos dele. Você também pode fazer isso e confiar que ele está moldando sua vida.

5
Ajude seus filhos a sobreviverem e se desenvolverem

E se, por vezes, houver cerrações e nevoeiros tão densos que eu não seja capaz de enxergar o caminho? Basta que me tomes pela mão e me guies na escuridão; pois andar contigo nas trevas é muito mais doce e seguro que andar sozinha à luz do sol!

SUSANNAH SPURGEON,
esposa de Charles Spurgeon

Em 25 de agosto de 1979, uma bebezinha linda, pesando mais de quatro quilos, me tornou mãe e mudou minha vida para sempre. Demos a nossa filha o nome Amy Rebecca, nossa "cordeirinha amada". Era uma criança grande, e dei à luz à moda antiga, sem anestesia peridural, o que significa que senti cada contração e cada segundo de agonia do parto.

Mais tarde, ainda no alegre aturdimento pós-parto, tomei um banho de assento suavizante para começar o processo de cura de meu corpo dolorido e dilacerado. De repente, o mais puro terror sobrepujou a euforia, e a imensidão da responsabilidade de educar aquela garotinha desabou sobre minha cabeça. A Bíblia diz que os filhos são um presente do Senhor, mas, naquele momento, tive vontade de devolver o presente. Havia me esforçado ao máximo a fim de me preparar para ser mãe, mas quando Amy foi colocada em meus braços e olhei para o rostinho dela, entendi que não tinha ideia do que estava fazendo e que, com certeza, seria um fracasso. Clamei a Deus, pois não conhecia ninguém além dele poderoso o suficiente para me dar as respostas de que precisava. Nem imaginava que seria a primeira de milhares de orações desesperadas que faria ao longo das décadas, não porque Amy fosse uma criança especialmente difícil, mas porque eu precisava muito de sabedoria.

Trinta e sete anos, mais dois filhos queridos (Josh e Matthew) e cinco netos depois, posso dizer que aprendi um bocado sobre família e relacionamentos. Educar filhos é uma responsabilidade desafiadora. Educar filhos em uma família de pastor é ainda mais complicado. Como casais dedicados ao ministério, precisamos pensar em variáveis que não fazem parte de outras famílias, o que inclui o foco principal de tensão: o fato de que educamos nossos filhos sob o escrutínio dos membros da igreja.

A maioria dos pais dedicados lê pelo menos alguns livros em sua busca por sabedoria para educar o pequeno ser humano sob seus cuidados. Eu era uma mãe ansiosa, e provavelmente li mais livros que a maioria. No entanto, esses textos raramente concordavam entre si a respeito de como *ser*, de fato, um bom pai ou uma boa mãe. Os conselhos me pareciam contraditórios e, com frequência, geravam culpa. Eu sabia apenas que desejava fazer a coisa "certa".

Com o tempo — senão por outros motivos, pelo menos para proteger minha sanidade —, condensei tudo o que tinha lido e ouvido a respeito da educação de filhos em três objetivos. Portanto, quer eu tenha sido quer não o tipo de mãe que fazia carinhas de uva-passa no mingau (não tenho talento artístico) ou se lembrava de colocar dinheiro debaixo do travesseiro para a Fada do Dente (mudamos o nome dela para Eulália, a Fada Esquecida, por motivos óbvios), eu tinha um plano.

Eis meus três princípios irredutíveis para a educação de filhos de pastor:

1. Mostre para eles que Deus os ama de forma incondicional.
2. Deixe que passem por todos os estágios de desenvolvimento.
3. Dê-lhes liberdade para que se tornem maduros e independentes.

Pode ser que cometamos uma porção de erros como pais, mas é essencial que acertemos nesses três pontos.

Mostre para eles que Deus os ama de forma incondicional

A primeira responsabilidade de *qualquer* pai ou mãe é mostrar para os filhos que Deus os ama de forma incondicional: de todo o coração, completamente, sem exigências, sem limites e sem restrições. Deus comunica abertamente esse tipo de amor por nós:

> É nisto que consiste o amor: não em que tenhamos amado a Deus, mas em que ele nos amou e enviou seu Filho como sacrifício para o perdão de nossos pecados.
>
> 1João 4.10

> Há muito tempo, o SENHOR disse a Israel:
> "Eu amei você com amor eterno,
> com amor leal a atraí para mim".
>
> Jeremias 31.3

"Pois, ainda que os montes se movam
e as colinas desapareçam,
meu amor por você permanecerá.
A aliança de minha bênção jamais será quebrada",
diz o SENHOR, que tem compaixão de você.

Isaías 54.10

Nossa principal responsabilidade, portanto, é ensinar a nossos filhos que há um Deus que os amou mesmo antes de saberem da existência dele. Ele é um Deus cujo amor não se compara a nenhum outro amor que conheceremos. Um Deus cujo amor é infinito, imutável e inabalável e não se baseia em desempenho ou bom comportamento. Um Deus cujo amor não é influenciado pela popularidade ou pelo sucesso. Nossos filhos precisam saber no mais fundo da alma que esse Deus magnífico os ama sem limites.

Nossa principal responsabilidade, portanto, é ensinar a nossos filhos que há um Deus que os amou mesmo antes de saberem da existência dele.

O amor de Deus é o lugar seguro em que devemos firmar nossa alma. À luz desse fato, precisamos ensinar nossos filhos a correr sempre para Deus, mas sobretudo em três circunstâncias: quando tudo estiver indo bem e eles estiverem felizes; quando se sentirem confusos, sem saber o que fazer, e tiverem dúvidas e questionamentos; quando fracassarem, cometerem erros ou pecarem ostensivamente. Em outras palavras, a cada momento da vida, precisam correr *para* Deus, e não *de* Deus.

Quando tudo vai bem para nossos filhos, quando estão saudáveis e estão crescendo na escola, em casa, nos relacionamentos e na caminhada com o Senhor, precisam saber que Deus é o autor de toda boa dádiva, digno de gratidão e consideração. Podem correr para ele mil vezes por dia com orações de gratidão, amor e dependência. Ensine-lhes que Deus quer ser um companheiro constante e está tão próximo deles quanto o ar que respiram. Construir intimidade e familiaridade durante os momentos bons torna mais fácil lembrar-se de Deus quando vierem os momentos difíceis.

Há situações em que os filhos ficam confusos, sentem-se inseguros a respeito de si mesmos ou sofrem por causa de alguma circunstância fora de seu controle, momentos em que coisas aparentemente estáveis ou permanentes de repente deixam de existir. Uma amizade acaba por causa de conflito ou de mudança de bairro ou cidade; a escola é uma dificuldade ou uma batalha constante; a situação financeira aperta e eles percebem a tensão resultante; não conseguem participar da equipe esportiva que amam; um animal de estimação morre; precisam tomar uma decisão difícil e não se sentem preparados para fazê-lo; há conflito na igreja e eles sofrem as consequências; deparam com injustiça e não conseguem entender como um Deus de amor pode permitir a existência de um mundo tão decaído. A vida, com seu infindável desfile de mudanças e transtornos, pode ser difícil para as crianças, especialmente para aquelas que enfrentam a pressão adicional de viver sob os holofotes.

Ensine os filhos a correr para Deus nesses momentos de dor, perplexidade e incerteza. Mostre-lhes que Deus é a única pessoa estável e segura na vida deles. O Senhor não apenas se preocupa com eles, mas também se revela e dá consolação, direção e força para encarar os momentos difíceis. É um Deus para o qual podem apresentar seus questionamentos, e não há nada de errado em filhos de pastor terem perguntas, dúvidas e incertezas. Deixe-os saber que não há nada de absurdo em carecer de fé ou em não ter a vida toda organizada. É comum a vida ser um tanto bagunçada e nem sempre fazer sentido. Não precisam colocar tudo dentro de caixinhas organizadas, com um laço em cima. Ensine-lhes que não existem respostas rápidas e fáceis para as perguntas que, há milênios, deixam os teólogos perplexos. Lembre-os de que o cerne da fé consiste em confiar mesmo quando não entendem tudo.

Talvez o momento mais difícil e mais importante em que devem correr para Deus é quando pisaram na bola, quando fracassaram completamente. Mostre para eles que podem correr para Deus quando tiverem de lidar com as consequências de suas escolhas e decisões pecaminosas, que talvez deixem marcas para o resto da vida. Nossos filhos de pastor precisam encarecidamente saber que o Senhor é o Deus das segundas chances, incrivelmente cheio de misericórdia, graça e perdão. Eles sentem forte pressão para nos agradar, não nos envergonhar, não causar problemas para nós. A maioria das crianças sente-se dessa forma em relação aos pais, mas para os filhos de pastor há uma camada adicional de pressão para não desonrar o pai e a mãe que estão no ministério.

Desde pequenos, formamos o hábito de fugir das figuras de autoridade em nossa vida quando estamos em apuros ou fizemos algo errado. Quantas vezes você tentou pegar seu filho de 2 ou 3 anos quando ele saiu correndo assim que você descobriu que ele estava fazendo algo errado? As perninhas gorduchas de seu pequenino se movem à velocidade da luz enquanto ele tenta fugir da bagunça que aprontou. Infelizmente, muitos de nós agimos da mesma forma em relação a Deus quando pensamos que fizemos algo errado ou imaginamos que ele irá nos castigar. Seguimos o exemplo de Jonas e corremos na direção oposta com toda a velocidade que nossas perninhas gorduchas nos permitem alcançar. Nosso trabalho como pais é continuar a reforçar a necessidade de correr *para* Deus quando nossos filhos pisam na bola.

Em resumo, nossos filhos aprendem que o amor de Deus é incondicional, imerecido e ilimitado principalmente pelo modo como nós amamos a Deus e a eles. Deus estruturou os relacionamentos humanos de tal forma que fôssemos os maiores responsáveis por mostrar a nossos filhos quem ele é. À medida que crescerem, serão fortemente influenciados (de forma positiva ou negativa) por professores do colégio e da escola dominical, vizinhos, familiares, colegas, treinadores e outros adultos que admiram. Mas cabe a nós dar o exemplo para eles. Somos as principais testemunhas da absoluta confiabilidade de Deus e de seu amor incondicional. Como tal, moldamos não apenas suas aptidões e seus padrões de comportamento, mas também sua fé.

Esse fato traz à baila o enorme elefante cor-de-rosa na sala, a difícil realidade que preferíamos desconsiderar: se nossos filhos não virem essas verdades serem praticadas em nosso relacionamento com Deus ou no relacionamento que temos com eles, nenhum de nossos discursos grandiosos, cultos em família com flanelógrafos ou conversas inspiradoras fará a mínima diferença. Estaremos apenas soprando fumaça ao vento. Seremos os famosos hipócritas que proferem belas palavras, mas não vivem de acordo com elas. Pior ainda, trivializaremos e neutralizaremos o magnífico amor de Deus por nossos filhos queridos e tornaremos mais difícil construírem uma vida de fé vigorosa. Trata-se de uma péssima notícia, pois essa nunca é nossa intenção; nenhuma de nós quer ser empecilho para que nossos filhos encontrem Deus e o conheçam. Todas nós desejamos ser como a pessoa mencionada em Provérbios 20.7: "O justo anda em integridade; felizes os filhos que seguem seus passos".

Essa dura realidade nos leva a fazer algumas perguntas difíceis: Como meus filhos saberão que Deus está presente em tempos de fartura, quando parece que nada jamais perturbará a tranquilidade de nosso lar, se não observarem minha prontidão em expressar gratidão a Deus diariamente? Como meus filhos saberão que Deus quer ser sua rocha, fortaleza e força, seu libertador e sua torre forte, se não me virem correr para ele em tempos de angústia, tristeza, perplexidade, aflição e dor? Como saberão que nosso Deus é o Deus das segundas chances se não me virem arrepender-me e confessar meus pecados, e depois desfrutar a graça que me permite recomeçar?

E temos, ainda, a segunda parte da equação. Além dc testemunhar com frequência nosso relacionamento forte, saudável e cada vez mais profundo com Deus, nossos filhos precisam ver os mesmos princípios serem aplicados a nosso relacionamento com eles, principalmente no modo como tratamos suas dúvidas e seus pecados.

Não importa quantas vezes dizemos a nossos filhos que nosso Deus é o Deus de misericórdia e das segundas chances — alguém *para* quem devem correr, e não *de* quem devem correr, aconteça o que acontecer — se temos dificuldade em mostrar empatia e compaixão em relação às dúvidas deles e misericórdia e graça em relação a suas imaturidades, pecados e falhas. Provavelmente crescerão com a convicção de que Deus não os ama exatamente da mesma forma a cada dia, não importa qual seja seu desempenho, e ele será a última pessoa que procurarão nos momentos de dúvida, medo, ansiedade ou culpa. Nas dificuldades mais intensas de nossos filhos, podemos ser a ponte para seu Pai celeste ao nos ligarmos a eles emocionalmente com paciência, bondade e persistência.

Quando Josh era adolescente, confessou que por várias vezes havia usado nosso cartão de crédito para pagar almoços para seus amigos. Teve a astúcia de procurar no extrato do cartão quais restaurantes frequentávamos, a fim de poder negar de modo plausível o que havia feito. Disse-me que também tinha roubado dinheiro de nossas carteiras. Estava sinceramente arrependido e se desmanchou em lágrimas de vergonha e remorso. A primeira coisa que me veio à mente foi: "Você traiu minha confiança, entristeceu meu coração e, quando eu tiver terminado de chorar, vou me levantar daqui e matá-lo". A segunda coisa que me veio à mente foi: "Deus, o que devo dizer? Entendo que é um momento crítico na vida de Josh. O modo como eu tratar esse erro será decisivo para o relacionamento dele com o Senhor e comigo".

Coloquei de lado os pensamentos homicidas, olhei para meu filho despedaçado de remorso e disse em meio a lágrimas: "Estou abismada e triste porque você nos enganou e nos roubou. Estou extremamente ofendida porque você se aproveitou de nosso amor e de nossa confiança. Mas eu o amo tanto que chega a doer, e nada pode mudar meu amor por você como meu filho. Sei que neste momento você está se desprezando e imaginando que não passa de um verme aos olhos de Deus, mas ele o ama ainda mais do que eu. Vamos correr juntos para Deus neste momento. Quero que você confesse o que fez e suplique por misericórdia, pois o perdão dele é ainda maior que o meu. Vamos orar juntos de joelhos e pedir que Deus restaure nosso relacionamento rompido". E foi o que fizemos. Tempos atrás, Josh me contou que aquela experiência foi inesquecível para ele. A certeza de que não apenas Deus, mas também Rick e eu o perdoaríamos, lhe deu grande consolação e ânimo. O final da história? Hoje Josh é responsável pela supervisão de todas as nossas finanças. O rapaz que usou sua inteligência de forma criativa para nos enganar hoje usa sua inteligência e criatividade para nos beneficiar.

Desde pequeno, Matthew era um garoto sensível, de emoções intensas. À medida que foi crescendo, começou a dar sinais de que sofria de algum transtorno mental. Aos 7 anos, estava deprimido, tinha crises de pânico e foi diagnosticado com transtorno de déficit de atenção com hiperatividade. Aos 11, foi diagnosticado com transtorno bipolar precoce. Com o passar do tempo, idealização suicida e transtornos obsessivo-compulsivo, depressão severa, transtorno dismórfico corporal e de personalidade limítrofe se tornaram parte do vocabulário de sua vida; parecia que cada consulta médica vinha acompanhada de um novo diagnóstico. Mesmo assim, ele amava Jesus e entregou a vida a ele quando era pequeno. Ainda tenho suas anotações de vários acampamentos e retiros, e até mesmo as anotações que fazia dos sermões de seu pai, tudo muito afetuoso. E, no entanto, durante os altos e baixos da adolescência, sua fé começou a vacilar enquanto ele questionava como um Deus de amor podia permitir tanta angústia em sua vida. Sofremos junto com ele quando se perguntou por que tinha transtorno obsessivo-compulsivo, que interferia com sua capacidade de distinguir entre o Espírito Santo e as vozes em sua mente. Por fim, começou a questionar Deus abertamente, às vezes de forma irada e cheia de frustração. Evidentemente, suas ações podiam ter repercussões negativas para nós como pais. Os membros da igreja poderiam se perguntar se éramos qualificados para liderar nossa comunidade de fé. Tenho certeza de que algumas pessoas ao longo do caminho decidiram que havíamos errado feio para ter um filho tão cheio de dificuldades. Entendemos, porém, que ele estava enfermo, e não havia nada de vergonhoso em ter um filho que sofria de transtornos mentais. Choramos com ele e por ele e aprendemos a apenas ouvir sua dor; respostas "lógicas" não ajudavam. Embora tenhamos feito todo o possível para proteger sua privacidade, suas lutas não eram segredo para nenhuma pessoa mais observadora.

Seu filho talvez tenha cometido um pecado terrível, que a magoou profundamente. Sua filha talvez sofra de um transtorno mental, ou seu filho talvez tenha expressado dúvidas a respeito de toda essa história de cristianismo, e talvez você esteja diante de um imenso dilema como família de pastor. Deve esconder a verdade ou reconhecer que é como todas as outras famílias da igreja, feita de santos imperfeitos e fracos que precisam do socorro e da misericórdia de Deus? Não deixe que a pressão para manter uma aparência perfeita e exemplar a leve a fazer seus filhos sentirem vergonha. Creio que sua primeira responsabilidade é para com os filhos que Deus lhe deu. Não sei se você se dá conta disso ou não, mas o modo como lida com suas dúvidas, perplexidades, dores, fraquezas e até enfermidades indica como você reagirá a essas mesmas questões em sua igreja.

É doloroso perceber que seus filhos não estão entendendo as mensagens que você quis transmitir. Há fatores na vida deles que nem sempre você pode controlar (transtorno mental é um deles), mas um dos principais obstáculos para transmitir mensagens claras e coerentes é a impossibilidade de ensinar a outra pessoa algo que você mesma não vivenciou. David Seamands escreve em seu livro *Cura para os traumas emocionais*:

Muitos anos atrás, fui levado a concluir que as duas principais causas de problemas emocionais entre cristãos evangélicos são: não entender, não receber e não praticar a graça e o perdão incondicionais de Deus e não oferecer esse amor, perdão e graça incondicionais a outros. Lemos e ouvimos sobre uma boa teologia da graça e cremos nela. Mas não é como vivemos. Cremos na graça com nossa mente, e não de modo visceral ou em nossos relacionamentos. Não passa do nível intelectual. As boas-novas do evangelho da graça não penetraram até o nível de nossas emoções.[1]

Talvez você precise ter uma conversa com Deus. Talvez saiba, no recôndito de seu coração, que ainda não aceitou nem *sentiu*, de fato, que é amada e aceita por Deus e que ele a vê coberta pelo sangue de Jesus.

Essas mensagens de amor incondicional, misericórdia e graça são comunicadas não apenas nos momentos de crise, mas também nas interações diárias dentro da família: ao realizar as tarefas domésticas, no supermercado, no caminho para a escola, ao preparar o jantar e dobrar as roupas limpas. Algumas das melhores oportunidades de ensino ocorrem enquanto caminhamos juntos ao longo da vida. Mas há um detalhe. Precisamos estar *presentes* para termos essas oportunidades.

Robert Reich, ex-ministro do trabalho no primeiro mandato do presente Bill Clinton, renunciou seu cargo para estar com a família. Disse ele:

> Não sei muita coisa sobre meninas adolescentes, mas meninos adolescentes são parecidos com moluscos: duros por fora, mas quando se abrem por um instante (e nunca se abrem por mais tempo que isso) revelam beleza e vulnerabilidade interiores, e às vezes é possível vislumbrar uma pérola. No entanto, não há como prever exatamente quando vão se abrir. Se você não estiver

presente quando acontecer (com frequência, às duas ou três da madrugada, mas não há como saber ao certo), será o mesmo que estar na lua.[2]

A única maneira de ver as "pérolas" é estar presente.

Esse é o ponto de partida. Qualquer outra coisa que eu diga sobre ajudar seus filhos a sobreviver e se desenvolver dentro do aquário, observados pelos membros da igreja por todos os ângulos, é secundária em comparação com a importância de ajudá-los a saber que Deus os ama incondicionalmente. Nada mais que aprenderem, nada, os impactará de modo tão dramático e fundamental quanto essa certeza.

Deixe que passem por todos os estágios de desenvolvimento

Nossos filhos crescem em estágios e precisam de pessoas que tenham percorrido um trecho mais longo da estrada da vida e possam preparar um caminho firme e confiável para eles. Como o Senhor diz em Deuteronômio 32.46: "Levem a sério todas as advertências que hoje lhes dei. Transmitam-nas como ordens a seus filhos, para que eles cumpram fielmente todos os termos desta lei". Deus instrui os pais a serem pioneiros e precursores e irem adiante de seus filhos, derrubando o mato e abrindo caminho para que possam segui-los. A Bíblia diz em Hebreus 12.13: "Façam caminhos retos para seus pés a fim de que os mancos não caiam, mas sejam fortalecidos". Precisamos criar um caminho plano e seguro para que não tropecem e caiam ao nos seguirem. Nossa esperança é abrir um caminho que os leve direto para Deus e sua verdade.

Nossos filhos crescerão, e esse crescimento acontecerá em estágios. Você já teve um "momento de mãe" em que olhou para seu filho e disse: "Gente! Quem é você e quando foi que cresceu desse jeito?". Acontece num piscar de olhos. Por isso livros como *O que esperar quando você está esperando* e *O que esperar no primeiro ano* fazem tanto sucesso. Reconhecem que as crianças crescem e se desenvolvem em estágios relativamente previsíveis e desmistificam esse processo para nós.

As crianças crescem em estágios em pelo menos quatro aspectos:

- físico
- social
- sexual
- espiritual

Não entrarei em detalhes a respeito do crescimento físico, mas desejo compartilhar algumas coisas que aprendi sobre como o fato de estarem se desenvolvendo numa família de pastor os impacta social, sexual e espiritualmente.

Deixe que cresçam socialmente

Toda criança se desenvolve em termos sociais, e a importância dos amigos e colegas aumenta ao longo desse desenvolvimento. Infelizmente, em pouco tempo seus filhos considerarão que a opinião dos pais não tem tanto valor quanto a dos amigos. Mesmo que a respeitem, quando chegarem à adolescência sua opinião estará em baixa.

Quando Amy tinha 5 anos e estava no jardim de infância, comprei para ela um par de sapatos resistentes de couro cor de vinho. A intenção era que ela usasse os sapatos durante todo o ano escolar. No entanto, algumas semanas depois que as aulas começaram, os sapatos sumiram. Cismada, perguntei a Amy:

— O que aconteceu com seus sapatos? Onde será que foram parar?

— Não sei, mamãe — ela respondeu. — Não faço ideia de onde estão.

Procuramos na casa toda, nos carros e no quintal. Procuramos em todos os lugares imagináveis. Nada. Amy continuou a declarar que não sabia de seu paradeiro. Como ingênua mãe de primeira viagem, acreditei nela. A criança precisava de sapatos, de modo que comprei um par barato, de plástico (a última moda no jardim de infância), até conseguirmos encontrar os de couro.

Por fim, o "pecado" de Amy a achou. Vários meses depois, enquanto eu a ajudava a arrumar o quarto, tiramos do lugar a pequena cama de bonecas, e lá estavam os sapatos. Nós duas ficamos surpresas, pois ela havia se esquecido de onde os tinha escondido. Na realidade, ela havia "perdido" os sapatos porque algumas meninas da escola tinham zombado deles. Evidentemente, para a patrulha da moda no jardim de infância, sapatos resistentes de couro não eram tão bacanas quanto os de plástico. Amy mentiu para mim durante meses porque a minha opinião não importava tanto quanto a de suas amigas.

Eu não fazia ideia de que o embate entre sapatos resistentes de couro cor de vinho e sapatos de plástico fluorescente seria apenas a primeira batalha na guerra entre a pressão dos colegas e meus desejos para minha filha. Descobri em pouco tempo, à luz da ampla gama de questões sobre as quais podíamos brigar, que era importante me lembrar do ditado sobre a educação de filhos: escolha com sabedoria em que colinas você está preparada para morrer. Há batalhas no horizonte, inclusive das famílias de pastor. Especialmente das famílias de pastor. Em quais delas você está disposta a lutar até a morte? Em quais colinas está preparada para morrer?

Nos dias de *hippie* de nossa juventude, cabelo curto e arrumado saiu de moda, e tanto moças como rapazes começaram a usar cabelo comprido. Rick deixou o cabelo loiro e encaracolado crescer, e seu pastor não gostou. Imaginou que Rick estivesse usando o cabelo comprido como uma bandeira política. Zombou dele e fez comentários maldosos. Os pais de Rick, conservadores em teologia e política, poderiam ter resolvido que estavam preparados para morrer nessa colina, mas a reação do pai de Rick foi: "Deixe crescer enquanto pode, pois um dia não terá mais um fio sequer na cabeça!". Embora o clima espiritual fosse de desaprovação, o pai dele resolveu que não valia a pena comprar briga por esse motivo e deixou passar.

Deus não olha para nossos filhos da mesma forma que nós. Não olha para o cabelo deles e para as roupas que vestem. Não olha para brincos, tatuagens, ou seja lá o que for que os torna "descolados" hoje em dia. Deus olha para algo muito mais importante. Assim diz 1Samuel 16.7: "O SENHOR não vê as coisas como o ser humano as vê. As pessoas julgam pela aparência exterior, mas o SENHOR olha para o coração".

Esse aspecto da educação dos filhos tem um elemento complicador, pois os estamos educando (e tentando entender quais batalhas devemos travar) diante de outros que nos observam. Muitas vezes, você não tem problema algum com a forma como seus filhos estão se desenvolvendo socialmente, mas um presbítero ou diácono da igreja tem. Situações desse tipo podem gerar grande tensão e estresse, pois precisamos colocar na balança as necessidades de nossos filhos e as opiniões dos presbíteros ou do conselho da igreja. O conceito de "aceitável" é bastante pessoal. Minha sugestão, porém, é esta: sempre que possível, diga "sim" para seus filhos e guarde sua energia e força para as batalhas realmente importantes.

Deixe que seus filhos passem por todos os estágios de desenvolvimento social. Não se assuste com facilidade. O que estão fazendo é normal e esperado. Como é aquele lema dos ingleses? Mantenha a calma e siga em frente.

Deixe que cresçam sexualmente

Quando entramos neste mundo, somos reconhecidos por nosso sexo, embora exames de ultrassom de rotina possam revelar o sexo do bebê muito antes de ele sair da segurança do ventre materno. Mas sexualidade não é apenas sexo. Nossa identidade é atrelada a nossa sexualidade e, portanto, é fundamental para quem somos como pessoas. Há livros inteiros sobre como falar com os filhos sobre sexo e sexualidade, portanto não fingirei que sou especialista no assunto. Darei algumas sugestões que, em minha experiência, são as mais benéficas para ajudar os filhos a se desenvolverem sexualmente.

Algumas de vocês poderão pular os próximos parágrafos, pois estão tranquilas quanto a essa questão. Cresceram com atitudes saudáveis em relação a sexo, seus pais deram o exemplo de um bom relacionamento, seu casamento também é saudável e vocês nunca tiveram dificuldades pessoais com sexo ou sexualidade. Conversar com seus filhos sobre o assunto é o mesmo que conversar sobre futebol ou balé. Que ótimo para vocês e seus filhos! Tiraram a sorte grande. Para algumas outras, porém, esse é um assunto difícil de tratar com os filhos e, com certeza, morrem de medo de ter "a conversa". Vocês já leram parte de minha história. Tive dificuldades na área sexual, portanto dá para imaginar o quanto precisei de cura interior para ajudar meus filhos a se desenvolverem sexualmente.

Por motivos que nunca consegui entender completamente, minha mãe querida mal conseguia pronunciar a palavra *sexo*, e muito menos tratar em profundidade desse assunto comigo. Ela hesitava e gaguejava, como se *sexo* tivesse dez *S*s: s-s-s-s--s-s-s-s-s-sexo. Hoje rimos da situação, mas naquela época foi difícil para ela! Quando meus pais resolveram que era hora de ter "a conversa" comigo, pegaram uma enciclopédia infantil com ilustrações coloridas e abriram na página que falava sobre os pássaros e as abelhas. Não estou brincando. Os pássaros e as abelhas. Pediram que eu me sentasse e apontaram para figuras mostrando como as abelhas polinizam as flores. Houve referências vagas a homens, mulheres e bebês, mas os dois ficaram encabulados, eu fiquei encabulada, e lembro-me de sentir um alívio *imenso* quando fecharam o livro e disseram que tínhamos terminado. De algum modo, era esperado que eu extraísse dessa lição da natureza que ela era relacionada à sexualidade humana e tinha algo a ver comigo. Foi extremamente confuso e embaraçoso. É evidente que não cresci em uma família que se sentia à vontade com sexo e sexualidade.

Quando nossos filhos chegaram, foi de grande ajuda o fato de Rick não ter recebido a mesma mensagem sexualmente reprimida que eu. Nem sempre acertei, mas me esforcei para aprender e crescer a fim de poder conversar com meus filhos com muito mais naturalidade do que meus pais tinham feito comigo. Jamais me esquecerei do dia em que me dei conta de que havia me saído bem nessa abordagem "natural". Amy tinha uns 15 anos, e eu a estava levando para a escola quando ela disse: "Mãe, o que é...?", e fez uma pergunta sexual bastante íntima. Para ser sincera, houve uma fração de segundo em que quase perdi a direção, pois até aquele momento tinha sido uma viagem tipicamente sonolenta para a escola no começo da manhã. No entanto, respirei fundo e respondi com tranquilidade: "Isso é..." e dei uma explicação completa em resposta a sua dúvida. Ela bocejou e disse: "Ah, então tá". Depois que a deixei na escola, pensei em como essa pergunta teria dado um chilique em minha mãe, e o carro teria acabado no fundo de uma vala. Parabenizei-me mentalmente e disse para mim mesma em meu estado apenas levemente apavorado: "Você está progredindo".

Que bom seria se conversar sobre sexo e sexualidade fosse relativamente simples hoje em dia como era em minha infância, ou mesmo como na infância e adolescência de meus filhos! Não é, porém, e os pais precisam estar preparados e dispostos a conversar sobre absolutamente tudo que tenha a ver com sexo. Nenhuma pergunta ou tema deve ser tabu. Claro que, a meu ver, essa tarefa cabe principalmente aos pais, e eles devem realizá-la da melhor maneira possível. No entanto, a igreja deve ser um recurso adicional forte e positivo, que ressalte as mensagens e os valores ensinados em casa. Nosso lar e nossa igreja devem ser as melhores fontes de informação afetuosa, exata e factual a respeito de sexo. Do contrário, deixaremos nossos filhos vulneráveis às mensagens de fontes externas inconfiáveis ou que não reforçam valores bíblicos. Nossos filhos precisam de mensagens fortes e positivas acerca de seu corpo, de suas mudanças e do amadurecimento sexual, e não apenas de mensagens a respeito de comportamento sexual piedoso e responsável, embora elas também sejam fundamentais. Temos a oportunidade extraordinária de dar respostas confiáveis e equilibradas para suas perguntas e de lhes mostrar que é possível viver para Jesus em uma cultura saturada de sexo. (No fim do livro, sugerimos alguns recursos adicionais sobre o assunto.)

Outra forma de ajudar seus filhos a se desenvolverem no aspecto sexual é ser fisicamente afetuosa. Não podemos subestimar a importância de abraçar, beijar, colocar a mão no ombro ou no braço deles, com toques apropriados que expressem amor profundo e apreciação. É provável que não exista nada exatamente igual ao toque físico por meio do qual mostramos ao outro que ele tem valor inestimável.

Talvez você diga que foi educada em uma família em que havia poucas demonstrações físicas de afeição e, portanto, que você não sabe muito bem como se expressar dessa forma. É possível que o desafio seja maior para você do que para alguém educado em um lar emocionalmente caloroso, mas é possível aprender. Não deixe que seus filhos cresçam sem desfrutar os benefícios de ser tocados, abraçados e beijados e de ouvir o quanto são amados e o quanto você gosta da companhia deles.

Quando Josh tinha 15 anos, foi a um acampamento de uma semana com o grupo de jovens. Ao buscá-lo na volta, esperava um displicente: "Oi, mãe", atirado em minha direção e nada mais. Em vez disso, ele correu para mim e me deu um abraço apertado. Depois, pegou minha mão e disse: "Senti sua falta, mãe. Não vejo a hora de lhe contar as coisas incríveis que aconteceram nesta semana". Fiquei admirada de ele sentir liberdade de expressar afeição por mim em público naquele momento da adolescência. Em parte, isso se deveu a sua personalidade, mas, em parte, se deveu ao fato de ter aprendido a expressar afeição livremente em casa.

Outra maneira, ainda, de ajudar seus filhos a se desenvolverem sexualmente é ser afetuosa com seu marido na frente deles. Também nesse caso, boa parte daquilo que ensinamos a nossos filhos não tem nada a ver com o que dizemos, mas sim com o que fazemos. Você pode dizer: "É saudável marido e esposa amarem um ao outro", mas a lição mais eficaz é ver os pais se abraçarem, se beijarem, darem as mãos, conversarem carinhosamente e falarem um do outro com afeto. Tudo isso ajuda a criar para os filhos uma imagem de como deve ser o casamento.

Rick me deixa sem graça com pronunciamentos públicos de como ele me considera linda. Faz isso desde que nos conhecemos. Adora quando chego depois dele a algum lugar e, com seu modo extrovertido, exclama: "Estou perdidamente apaixonado por essa mulher". Para ele não faz diferença se há dez ou cem pessoas presentes. Claro que minha personalidade introvertida morre de vergonha de ter cem pares de olhos voltados para mim, mas é algo que ele faz há mais de quatro décadas e dificilmente deixará de fazer no futuro próximo. Meus filhos comentam como sempre ouviram o pai dizer, em público e em particular, o quanto me ama. Creio que Rick e eu definimos um padrão elevado para que criassem um bom casamento para eles.

Deixe que cresçam espiritualmente

A lição espiritual mais importante que podemos transmitir a nossos filhos é a de que Deus os ama de forma incondicional, mas há algo mais.

À medida que nossos filhos passam pelos estágios de seu desenvolvimento espiritual, é desejável que façam a transição de decisões controladas pelos pais para decisões controladas por eles mesmos e, finalmente, por Deus.

No início, controlamos todos os aspectos da vida de nossos filhos. Decidimos o que comem, a que horas comem, o que vestem, aonde podem ir, de que atividades participarão, que escola frequentarão; tomamos todas as decisões sem levar muito em conta a opinião deles.

À medida que amadurecem, abrimos mão de parte do controle para que eles próprios possam começar a tomar decisões. No entanto, esse não é o objetivo final. Precisamos ajudá-los a entender que o processo de tomar decisões, na verdade, deve se basear na vontade de Deus para eles, e não apenas nos desejos que têm para si mesmos ou nos supostos desejos que temos para eles. Para filhos de pastor, é especialmente importante aprender a não tomar decisões com base no que os pais irão pensar. À medida que crescem espiritualmente, nós os orientamos para que se perguntem: "O que Deus diz a esse respeito?". Trata-se de um processo, e não ocorre de um dia para o outro. A parte mais difícil, porém, é que eles cometerão uma porção de erros. E teremos de lhes dar liberdade para que se tornem maduros e capazes de controlar a própria vida, mesmo quando tomarem decisões que não apoiamos inteiramente.

Por vezes, deixar que sigam o caminho deles é algo que acontece em momentos lindos, como quando nossos filhos se casam ou saem de casa para fazer faculdade. Sentimos imenso orgulho do momento de vida em que estão e das realizações que alcançaram. Nós os educamos para que saíssem de casa e se tornassem homens e mulheres independentes que amam a Deus e o servem. É doloroso, mas é bom.

Por vezes, contudo, nossos filhos escolhem rumos que nos causam grande angústia, e a decisão de deixar que sigam seu caminho é acompanhada de tristeza, decepção e medo. Há momentos em que precisamos lhes dar liberdade quando essa é a última coisa que desejamos fazer. Tudo isso se torna muito mais difícil quando estão presentes questões como transtornos mentais, doenças físicas, experiências traumáticas e luto. Para crianças e adolescentes que têm essas camadas adicionais de dor, são necessárias abordagens diferentes, que priorizem os vínculos emocionais e o apego entre pais e filhos, e não o "amor firme". (Verifique a seção de recursos ao final do livro para obter mais informações.)

No caso de filhos que não precisam lidar com essas dificuldades, a insistência em tomar decisões erradas e fazer escolhas infelizes também magoa os pais e causa preocupação quanto ao futuro. Abandonar nossos valores e ideais nos dá a sensação de que eles também estão *nos* abandonando. Como você sabe, famílias de pastor não são imunes a esse problema; muitas de vocês amam uma filha ou um filho pródigo e vivem com o coração pesado.

Em Lucas 15, Jesus narra a conhecida parábola do filho pródigo. Quando o filho sai de casa, deixa para trás não apenas o pai, mas tudo o que há de bom e correto em sua vida. Abandona sua instrução, seus valores e seus relacionamentos. O pai o deixa ir para que ele se torne responsável por suas escolhas e cometa erros.

Você conhece a história. O filho joga a vida fora e vai parar num chiqueiro, o pior lugar possível para um garoto judeu. O pai não sai à procura do filho para lhe dizer: "Deixe-me ajeitar sua vida por aqui. Trouxe uns cobertores macios para forrar o chiqueiro, para que a lama e o cheiro de porcos não o incomodem". Não é isso que o pai faz. A penúria do filho não é mitigada e, por isso, depois de um tempo, ele recobra o juízo e volta para casa, onde é seu lugar.

Essa é uma lição e tanto para nós quando nossos filhos fazem escolhas que, a nosso ver, são erradas e prejudiciais para eles. Ao "forrar o chiqueiro com cobertores", pode acontecer de impedirmos que recobrem o juízo. Esse é um dos dilemas mais difíceis para nós como pais. Queremos proteger nossos filhos para que não cometam erros. Quando estão prestes a cair, é natural desejarmos amortecer a queda para que não se machuquem. Mas esse não é o caminho para a maturidade. Henri Nouwen diz: "[Nossos filhos] não nos pertencem. Eles pertencem a Deus, e um dos maiores atos de confiança em Deus é deixar que façam as próprias escolhas e encontrem o próprio rumo".[3]

A certa altura, deixamos de ser responsáveis *por* nossos filhos e nos tornamos responsáveis *em relação a* nossos filhos. Gálatas 6.5 diz: "Porque cada um de nós é responsável pela própria conduta". Essa transição é difícil. Ninguém deseja que os filhos cometam erros pelos quais terão de pagar para o resto da vida. Em contrapartida, não temos como controlar todas as suas decisões e devemos parar de tentar fazê-lo. A melhor maneira de amar nossos filhos pródigos *em certas circunstâncias* é deixar que sofram as consequências naturais, sejam elas quais forem, não por raiva, amargura ou vingança, mas com a mais sincera esperança de que o relacionamento será restaurado.

Assim afirma Hebreus 12.11: "Nenhuma disciplina é agradável no momento em que é aplicada; ao contrário, é dolorosa. Mais tarde, porém, produz uma colheita de vida justa e de paz para os que assim são corrigidos". Você se tornou uma mulher de Deus madura porque cometeu erros, se enganou e fez algumas escolhas infelizes. Nesse processo, aprendeu com os erros e enfrentou as consequências. Em algum momento ao longo do caminho, resolveu que não queria mais viver dessa maneira. Decidiu tomar decisões diferentes e, a partir delas, tornou-se uma mulher espiritualmente madura. Precisamos deixar que nossos filhos passem por esse *processo* para que possam ter o *produto* dele: a maturidade espiritual.

Compromissos

Ao encerrarmos a conversa sobre este assunto, convido-a a assumir alguns compromissos como mãe. Essas decisões lhe serão bastante úteis para ajudar seus filhos a não apenas sobreviver, mas também se desenvolver.

Assuma o compromisso de mostrar para seus filhos que Deus os ama incondicionalmente e que você também os ama dessa forma. Mesmo que você não faça nada além de criar um lar em que reinam graça e misericórdia, terá realizado algo extraordinário.

Assuma o compromisso de deixar que seus filhos passem pelos estágios de crescimento. E não entre em pânico durante esse processo. Não hesite em pedir a opinião e as sugestões de outros. Não hesite em reconhecer que está tendo dificuldade com seus filhos e não sabe o que fazer. Não tenha medo de pedir ajuda.

Assuma o compromisso de permitir que seus filhos se tornem as pessoas que Deus quer que sejam, mesmo que isso cause sofrimento para eles e para você ao longo do caminho. Confie que Deus já escreveu o futuro deles.

6
Compartilhe sua vida

> O que o Senhor deseja é que você cumpra as incumbências das quais ele a encarregou, sem pedir um posto fácil nem se queixar de um posto difícil.
>
> CATHERINE BOOTH,
> esposa de William Booth

Quando meu pai fez seminário na década de 1950, o conselho era para que pastores não procurassem fazer amigos chegados na igreja, pois despertariam ciúmes em outros membros. Parte de mim entende bem essa linha de raciocínio, sobretudo porque a maioria das igrejas nos Estados Unidos tem menos de duzentos membros e todo mundo sabe da vida de todo mundo. Infelizmente, porém, essa abordagem pode resultar em grande solidão e isolamento.

Meus pais também eram extremamente cautelosos quanto aos desafios, lutas e dores que eles compartilhavam com os membros da igreja. Foram ensinados a falar apenas sobre os aspectos positivos da vida e da fé, e não sobre os fardos, as dúvidas e as partes fragilizadas. Meu pai *nunca* falava sobre o primeiro casamento dele. Perdi as contas de quantos sermões ele pregou sobre casamento em seus mais de cinquenta anos de ministério; nenhuma vez, porém, mencionou o sofrimento pessoal do divórcio. Quando meu irmão mais novo era viciado em heroína e foi preso por ter furtado para comprar drogas, meus pais carregaram o peso dessa tristeza praticamente sozinhos. Umas poucas pessoas que haviam se tornado amigas chegadas demonstraram compaixão e oraram por eles, mas meus pais não compartilharam com a igreja sua angústia por causa de meu irmão.

Algumas de vocês estão balançando a cabeça em concordância, pois receberam o mesmo conselho: não se tornem próximas demais dos membros da igreja; não espalhem seus problemas; não compartilhem assuntos mais íntimos.

Mas, sejamos honestas. Em parte, não evitamos compartilhar nossa verdadeira identidade e nossos verdadeiros problemas por vergonha? Não nos afligimos de imaginar o que outros pensariam de nós se soubessem? A Bíblia nos chama a quebrar o hábito de esconder nossos pecados, fraquezas e falhas. João 3.19 diz: "E a condenação se baseia nisto: a luz de Deus veio ao mundo, mas as pessoas amaram mais a escuridão que a luz, porque seus atos eram maus".

Sou fascinada por aqueles bichinhos conhecidos como tatuzinhos-de-jardim, e sempre penso neles quando leio esse versículo. Se levanto uma pedra do jardim e exponho ao sol essas criaturas de aparência pré-histórica, elas caem da pedra à qual estavam presas e se enrolam em uma bola apertada ou fogem para outro lugar. Preferem a escuridão.

Não é uma descrição apropriada para nosso modo de agir? Encobrimos e escondemos nossos pecados, fracassos, imperfeições, fraquezas e tentações e tememos ser expostas à luz que revela tudo o que nos esforçamos tanto para ocultar. À medida que nos tornamos mais proficientes em nos esconder, também nos tornamos, como diz Paul David Tripp, completamente cegas para nossa cegueira.[1] A seguinte ideia me ocorreu recentemente em um momento de clareza: meu eu ideal é muito mais agradável que meu eu verdadeiro. Meu eu ideal é muito mais espiritual, amoroso, sábio e bondoso que meu eu verdadeiro. A pessoa que penso que sou e a pessoa que sou de fato com frequência entram em conflito. Como resultado, escondo-me nas sombras do fingimento. É algo trágico, absolutamente desnecessário e antibíblico, mas se tornou meu modo habitual de agir. Deus propõe outro caminho. Desçamos do pedestal, usemos nossa vida como exemplo e busquemos amizades.

Desça do pedestal

De acordo com Edward Bratcher, uma das maiores tentações e armadilhas para quem está no ministério é a tendência de procurar andar sobre a água:[2] ser todas as coisas para todas as pessoas, saber tudo, ter todas as respostas certas, ter convicção de como lidar com todas as situações, ter soluções para todos os problemas, em resumo, ser praticamente perfeita — mais parecida com Deus que com um ser humano. Permitimos que outros nos coloquem em um pedestal de suposta superioridade. E sempre nos damos mal, pois, obviamente, não somos sobre-humanas. Mas isso não nos impede de tentar ser, ao mesmo tempo que nos queixamos e nos ressentimos das pressões e expectativas das igrejas que nos colocam no pedestal.

A revelação mais honesta que podemos fazer a respeito de nós mesmas é que a idealização e a idolatria dos membros da igreja alimentam nosso ego. Todas nós temos prazer em ocupar um pedestal em que outros nos admirem. Quem não gosta de ser vista como alguém que sabe o que está fazendo? Uma parte doentia de nosso ser deseja que outros acreditem que somos pessoas *realmente boas*. "Puxa! Ela conhece Jesus de verdade! Gostaria de ser parecida com ela!" É uma lição de humildade reconhecer o ego corrompido e desprezível dentro de nós que se alegra de ser exaltado.

Por eu haver crescido em uma família de pastor, tinha forte consciência de que as pessoas nos observavam, nos avaliavam e nos colocavam em um pedestal de perfeição. Meus pais não nos incentivavam a ser fingidos, mas sabiam muito bem que o evangelho pode ser prejudicado. Em sua vigilância para garantir que não fizéssemos nada para prejudicar o nome de Cristo, o princípio norteador de nossa família se tornou "O que os outros vão pensar?". Para lidar com essa pressão, construí uma caixa e me enfiei dentro dela, uma caixa de atitudes e comportamentos rígidos que me faziam andar na linha exteriormente, enquanto, interiormente, escondia minhas falhas vergonhosas.

Mas, como já relatei, a fachada se desintegrou depois que Rick e eu nos casamos. Quando a dor se tornou maior que o medo e a vergonha, procuramos aconselhamento para casais. Felizmente, depois de apenas algumas sessões, tive uma experiência que mudou o rumo de nosso casamento, e também meu relacionamento com Deus. Voltamos para casa depois do aconselhamento, chateados demais para conversar um com o outro. Rick foi para a sala e eu fui me deitar, chorando de frustração, vergonha e uma terrível sensação de fracasso. Deitada na cama, olhando para o teto, percebi que algo estranho estava acontecendo. Comecei a sentir o amor de Deus inundar cada canto do quarto. Sua misericórdia e sua graça pareciam pairar de modo tangível ao meu redor, abraçando-me e envolvendo-me por completo. De tão reais, pensei que pudesse estender a mão e tocá-las com os dedos. Pela primeira vez na vida, *senti* o amor de Deus. Sabia de seu amor desde a mais tenra infância, mas jamais o havia *sentido* em nível emocional.

Não sou dada a visões, mas tive uma naquele dia. Vi-me como uma pequena borboleta, firmemente envolta em uma crisálida rígida e impenetrável. De repente, a crisálida se abriu e a borboleta sacudiu o casulo que a prendia, abriu as asas e voou livremente em direção ao céu.

"Essa sou eu! Sou eu!", exclamei em meio a riso e choro, com deslumbre e alegria, enlevada pela liberdade de ser plenamente aceita por Deus. Então entendi — entendi de verdade. Deus não me amava por causa daquilo que eu fazia por ele — as regras de boa menina que segui —, nem me detestava porque eu estava irreparavelmente danificada. Simplesmente me amava como eu era.

Assim como Hagar entendeu que Deus a *via* (Gn 16.13), eu soube que Deus via minha dor e meu sofrimento. Ele sabia do abuso que havia desencadeado o trauma sexual, o vício da pornografia e os problemas sexuais no casamento. Ele sabia o quanto eu havia me esforçado, onde tinha caído em um atoleiro, e sabia que eu não fazia ideia de como sair de minha situação presente. Não estava bravo comigo, nem com vergonha de mim; antes, senti-o acolher-me plenamente. *Deus me ama.*

Quando a dor se tornou maior que o medo e a vergonha, procuramos aconselhamento para casais.

Dessa experiência do amor incondicional de Deus por mim nasceu uma nova liberdade interior. Fiz um voto diante de Deus naquele momento: "Jamais voltarei para dentro da caixa do perfeccionismo e das tentativas de agradar outras pessoas. Jamais. Jamais. Jamais. Estou descendo do pedestal, ainda que algum dia precise subir no telhado da igreja e gritar para todos que passarem: 'Somos iguais a vocês! Somos seres humanos! Temos problemas! Há dias em que não sabemos se Deus existe. Há dias em que não gostamos um do outro. Somos apenas pessoas e nos recusamos a permanecer no pedestal!'".

Deus quer que você viva nessa mesma liberdade repleta de graça. Não quer que você se sinta à vontade em um pedestal estreito — aliás, quer que você desça dele *neste exato momento.* Não quer que você viva dentro de uma caixa rígida de perfeccionismo e tentativas de agradar outros. Não quer que você se sinta presa, sem escape. Não quer que você viva com medo de que, se alguém soubesse de verdade, tudo estaria perdido. O fato é que, se soubéssemos de tudo o que há para saber a respeito uns dos outros, jamais conseguiríamos olhar uns para os outros novamente. Somente Deus é capaz de lidar com tudo o que há para saber sobre nós e, ainda assim, nos amar. E, no entanto, ele deseja que conheçamos e sejamos conhecidos, o que só pode acontecer quando descemos do pedestal e saímos da caixa do perfeccionismo.

As pessoas costumam perguntar: "Em sua opinião, qual é o segredo da Igreja Saddleback?". Estou convencida de que um dos "segredos" de nossa igreja é que a começamos com a intenção de ser autênticos a respeito de nós mesmos e de convidar outros homens e mulheres imperfeitos a participar desse esforço para viver com transparência. Queríamos que fosse um lugar onde qualquer um pudesse dizer: "Sou imperfeito. Minha vida é uma bagunça. Tenho feridas, vícios e problemas". Queríamos que fosse uma igreja que pudesse dizer como Barnabé e Paulo em Atos 14.15: "Somos homens como vocês! Viemos lhes anunciar as boas-novas, para que abandonem estas coisas sem valor e se voltem para o Deus vivo, que fez os céus e a terra, o mar e tudo que neles há".

Deus nos criou para nos relacionarmos e vivermos de modo aberto e autêntico, andando na luz da comunhão com ele e de uma vida compartilhada uns com os outros. João diz: "Mas, se vivemos na luz, como Deus está na luz, temos comunhão uns com os outros, e o sangue de Jesus, seu Filho, nos purifica de todo pecado" (1Jo 1.7). Quando começamos a ser honestas quanto ao fato de que somos apenas seres humanos, damos o primeiro passo em direção à luz.

Use sua vida como exemplo

Sempre haverá a tentação de voltar para a caixa e não contar nossa história, mas você tem uma história que vale a pena contar. Quando a usa, dá ânimo a outras pessoas. Já lhe ocorreu que você não vive apenas para si mesma? As coisas que acontecem com você, as experiências pelas quais passou e as dificuldades com as quais lutou têm o propósito de encorajar outros.

Meu irmão mais novo está livre das drogas há décadas, mas durante muitos anos foi viciado em heroína e opiáceos. No começo da Igreja Saddleback, quando meu irmão ainda lutava contra o vício, um homem que eu conhecia apenas superficialmente comentou:

— Faz algum tempo que estou na Saddleback, mas não sei muita coisa a seu respeito. Você tem irmãos?

— Tenho um irmão — respondi.

— Ele sempre andou com Cristo?

— Não — disse eu, e lhe contei sobre Andy e o inferno que ele estava vivendo. Os olhos do homem se encheram de lágrimas, e ele disse:

— Puxa! Isso é ótimo!

Fiquei tão estarrecida com a reação dele que não consegui falar, mas em minha mente, pensei: "Que grosso! Como pode dizer uma coisa dessas?".

Esse sujeito não era conhecido como modelo de compaixão, portanto sua reação não foi atípica. Mas ele se apressou em acrescentar:

— Quis dizer que é reconfortante saber que sua família não é perfeita e também passa por dificuldades. Me faz pensar que talvez minha família não seja assim tão esquisita. O fato de sua família também ter lutas e enfrentar um problema tão difícil como esse me dá esperança.

Se eu tivesse mentido, fingido ou dado uma resposta vaga como: "Meu irmão tem algumas dificuldades", nossa conversa provavelmente não teria feito grande diferença para aquele homem. Mas, porque me dispus a usar minha vida como exemplo sem me preocupar se ele pensaria mal de minha família, nossa interação permitiu que ele se sentisse mais normal.

O apóstolo Paulo diz em Filipenses 1.12-14 que os encarceramentos e açoites injustos que ele havia suportado tinham dado coragem a outros cristãos para anunciar a Palavra de Deus. Ele entendia que, ao viver de modo autêntico e transparente, podia inspirar e animar outros. Sua vida não lhe pertencia e não era apenas para seu benefício. Oswald Chambers diz:

> Para o homem ou a mulher que tem intimidade com os sofrimentos de Jesus Cristo e participa deles, não existe vida particular ou lugar para se esconder neste mundo. Deus divide a vida particular de seus santos e a transforma em uma rodovia com uma das pistas na direção dele e a outra na direção do mundo. Nenhum ser humano é capaz de suportar essa situação a menos

> que se identifique com Jesus Cristo. Não somos santificados para nós mesmos. Somos chamados a ter intimidade com o evangelho, e acontecem coisas que nada parecem ter a ver conosco. Mas Deus está aprofundando nossa comunhão com ele. Permita que ele cumpra a vontade dele. Se você recusar, não terá valor algum para Deus em sua obra redentora no mundo; antes, será um empecilho e uma pedra de tropeço.[3]

Use sua vida como exemplo para outros. Desse modo, você os incentivará a também sair da caixa deles e lhes dará esperança.

Busque amizades

Como nós, esposas de pastor, podemos superar a tendência instintiva de nos esconder e de encobrir quem somos de fato? Como vencer esse grande obstáculo para a intimidade? Precisamos formar o hábito de andar na luz, isto é, confessar tudo a Deus, receber sua dádiva contínua de perdão e então andar com outros, por meio de amizades, na luz compartilhada de sua graça.

Conhecer e ser conhecida é a única maneira de ter permanência no ministério.

Esse conceito tem implicações extremamente práticas. Se você começar a andar na luz e compartilhar sua vida real, as pessoas verão seus defeitos. Saberão, com certeza, que você não é capaz de caminhar sobre a água. Perceberão as rachaduras em seu casamento e os buracos em sua fé, bem como suas incoerências e hipocrisias e seus pontos cegos. Verão você nos piores momentos e nos mais brilhantes. É impossível fingir por muito tempo dentro de uma amizade.

Algumas de vocês estão dizendo: "Por isso mesmo não compartilho minha vida! Não quero que as pessoas saibam das minhas coisas!". No entanto, conhecer e ser conhecida é a única maneira de ter permanência no ministério. Relacionamentos próximos são uma das principais formas de nos proteger da terrível síndrome de nos esconder e fingir que andamos sobre a água. De acordo com Edward Bratcher, a única maneira de descer do pedestal e desistir da tentativa de andar sobre a água é buscar amizades próximas e profundas.

> Só nos tornamos verdadeiramente humanos por meio de relacionamentos. Logo, é impossível tornar-se humano em isolamento. Não há nenhuma possibilidade real de ministros superarem a tentação de andar sobre a água se não desenvolverem amizades.[4]

Ao longo dos anos, busquei quatro tipos de relacionamento com diferentes níveis de intimidade, e incentivo você a fazer o mesmo.

Aproveite os relacionamentos sociais

O objetivo dessas amizades é puramente social e envolve pessoas com as quais você passa tempo por diversão. São as amizades que, em geral, surgem entre vizinhos, entre pessoas que têm filhos no mesmo treino esportivo ou na mesma turma na escola, ou com aqueles que praticam o mesmo *hobby*. Seu objetivo não é, necessariamente, aprofundar-se e extrair verdades espirituais extraordinárias dessas interações. Quando você está junto com essas amigas, não precisa resolver os problemas do mundo. Aliás, é saudável ter algumas amizades que não exijam demais de seu cérebro ou de sua capacidade de solucionar problemas. Você pode descontrair-se, rir um pouco e aproveitar uma atividade ou um evento na companhia dessas amigas. São pessoas divertidas e descomplicadas. A ideia não é ter conversas espirituais — embora sejam um possível bônus —, e sim relaxar e recobrar o ânimo de forma leve, sem cobranças.

Fortaleça-se com um grupo de apoio

Como esposa de pastor, você também precisa de amizades com mulheres que vivam numa casa de vidro, como você, a fim de se sentir apoiada por pessoas com experiências semelhantes. A vida no ministério tem aspectos positivos e negativos únicos, que só podem ser compreendidos por aqueles que também os vivenciam. É como acontece com esposas de médicos ou de militares, por exemplo. É preciso passar pelas experiências e pelos desafios singulares para compreendê-los de fato. Como sobrevivente de câncer de mama, posso estar com mulheres que também tiveram câncer de mama e não precisamos trocar palavras. Quando estou com pessoas que perderam um ente querido por causa de suicídio, podemos ser eloquentes só com abraços. É como dizer: “Eu sei. Eu entendo”. Para mim, é sempre bastante animador sentir um vínculo imediato com outra esposa de pastor, algo que vai além de diferenças culturais ou denominacionais. Não é ótimo quando você faz um comentário sobre sua vida no ministério e outra mulher na mesma situação diz: “Eu também me sinto assim! É exatamente o que acontece comigo”?

Uma das queixas comuns sobre a vida no ministério é que pode ser solitária. É verdade. Especialmente se você aderir à ideia de que não pode ter amigos. No entanto, a vida no ministério não precisa, necessariamente, ser solitária.

Muitos anos atrás, uma corajosa esposa de pastor de nossa região enviou um convite para cerca de outras 25 esposas de pastor que moravam no vale Saddleback para que se reunissem na casa dela para um almoço. É provável que umas vinte tenham comparecido ao primeiro almoço, em que ela conversou conosco sobre seu desejo de passar tempo com outras mulheres que entendessem, pelo menos em parte, como era sua vida e sua família. Ela propôs que nos reuníssemos quatro vezes por ano, e embora metade das mulheres que foram ao primeiro almoço tenham logo desistido, um pequeno grupo decidiu tentar manter os encontros. Durante os quatro anos seguintes, nós nos reunimos a cada trimestre na casa de alguém ou em um restaurante. Fizemos um pacto de não falar sobre nossas igrejas de forma específica. Evidentemente, todas nós fazíamos parte do ministério, mas os tamanhos e estilos das igrejas eram bem diferentes, de modo que procurávamos conversar sobre nós mesmas e nossas famílias, em vez de comparar programas ou eventos da igreja. Houve até alguns encontros de casais ao longo dos anos, e no começo da Saddleback, quando eu estava tentando entender qual era meu papel, encontrei apoio emocional nesse grupo de mulheres.

A maioria de nós tem acesso a algo semelhante. Se você não sabe por onde começar, pesquise na internet e anote o endereço de igrejas em um raio de cinco a dez quilômetros de sua igreja e mande convites. É possível que apenas algumas mulheres participem, mas ficarão gratas, e quem sabe você encontrará uma nova amiga.

Desde o começo da Igreja Saddleback, também procurei interagir com as esposas dos pastores contratados à medida que a igreja crescia. Primeiro havia uma, depois duas, e depois três. De vez em quando, nós nos reuníamos para tomar café da manhã no sábado em minha casa ou na padaria. Não havia um programa, nem uma estratégia ou plano. Eu sabia apenas que precisava do apoio de colegas, e concluí que elas também precisavam. Graças a esse relacionamento mais próximo, pudemos reduzir alguns dos atritos que surgem naturalmente entre os membros da equipe pastoral. Conhecíamos umas às outras e nos preocupávamos umas com as outras.

Uma vez que a Igreja Saddleback tem um grande número de pastores e homens mais jovens se preparando para o ministério, minha cunhada querida, Chaundel Holladay, tem se dedicado a cuidar dessas mulheres. Da última vez que contamos (o número parece mudar a cada semana), ela estava ministrando a mais de cem mulheres. É como pastorear uma pequena igreja. Muitas dessas mulheres são novas no ministério ou recém-casadas, e seria fácil passarem despercebidas. Há décadas, procuramos incentivá-las a participar de três eventos por ano criados exclusivamente para elas: uma festa de Natal, um retiro de final de semana e uma festa à beira da piscina no final do verão, em que 99% das mulheres presentes não entram na piscina. Esse grupo grande é dividido em pequenos grupos de oito a dez esposas de pastores para que todas tenham comunhão e apoio ao longo do ano. Chaundel também começou um grupo no Facebook apenas para convidadas em que mantemos contato, apoiamos umas às outras e postamos avisos de nascimento, enfermidades, pedidos de oração e bazares. Chaundel e sua pequena equipe têm um bocado de trabalho para manter esse ministério, mas vale a pena. Sempre acreditei que, quando mulheres se sentem ligadas umas às outras e têm um lugar seguro para desabafar, chorar, fazer perguntas, servir e receber orações, encontram mais satisfação em seu papel como esposas de pastor e são mais felizes de modo geral.

Você pode adaptar essas ideias conforme sua realidade. Se você é a única esposa de pastor em sua igreja, reúna-se com outras esposas de pastor de sua região. E se há outras esposas de pastor em sua igreja, realizem encontros de tempos em tempos para construir amizades e ser beneficiadas pelo apoio de suas colegas. Se você faz parte de uma igreja maior, pense no que você ou uma equipe de esposas de pastor pode fazer para ajudar jovens esposas de pastor ou que acabaram de entrar no ministério a encontrar o apoio e o incentivo de que precisam para a vida ministerial. Não permita que a solidão seja a norma.

Tenha uma vida em comunidade por meio de um pequeno grupo

Rick e eu participamos do mesmo pequeno grupo para casais há quinze anos. Fiz parte de vários pequenos grupos para mulheres ao longo dos anos, e gostei deles. Além disso, tentamos vários outros pequenos grupos para casais que não deram muito certo. Mas esse grupo... mal tenho palavras para descrevê-lo. Só de pensar em seus participantes, meus olhos se enchem de lágrimas. Assumimos uns com os outros um compromisso quase tão permanente quanto os votos de casamento. Planejamos caminhar juntos até que a morte nos separe. É tão precioso para mim saber que há pessoas que me amam com essa profundidade! Nesses irmãos e irmãs comprometidos com meu bem-estar eu encontro segurança, consolo e proteção. Passamos juntos por quase todas as experiências dolorosas imagináveis: dificuldades financeiras, câncer, transtornos mentais, enfartos, falecimento de pais e irmãos, suicídio, sérios problemas conjugais, conflitos, necessidades especiais de um filho, depressão, complicações de adoção e tantas outras coisas.

Meu pequeno grupo supre muitas das necessidades de amizades chegadas, mas também creio que algumas de minhas questões fundamentais nunca teriam sido resolvidas sem esse grupo. O pobre do Rick tem me ajudado a trabalhar essas questões há mais de quarenta anos. No entanto, ele já fez tudo o que pode. Há aspectos de minha personalidade e de meu caráter que não vão mudar. E há aspectos da personalidade e do caráter dele que tentei trabalhar, mas sem sucesso. Já gastei todo o meu vocabulário com ele. E ele gastou todo o seu vocabulário comigo. Mas, no círculo caloroso e acolhedor do pequeno grupo, seus participantes têm permissão de dizer para mim coisas que não consigo ouvir de meu marido. E podem dizer para ele coisas que não consegue ouvir de mim. Tenho convicção de que não me tornarei a pessoa que Deus pretende que eu seja sem esse grupo.

Larry Crabb chama esse tipo de amizade de lugar mais seguro da terra. Ele diz:

> Alguém já testemunhou as contorções que, por vezes, afligem minha alma? Em quem confio o suficiente para ser meu confessor, para ver o sangue derramado durante minhas batalhas espirituais, minhas ocasionais retiradas covardes, os medos que, de tempos em tempos, me paralisam? Se a resposta for ninguém, será então que as palavras de ânimo que ouço não têm poder maior que a poesia sentimental de cartões prontos? Devo perder minha privacidade para que algumas pessoas me ajudem em profundidade com uma batalha que elas compreendem?[5]

Talvez você não participe de um pequeno grupo desse tipo. Talvez não participe de grupo nenhum no momento, mas, se possível, peço que considere seriamente participar. A proximidade, o apoio e a força de um grupo de indivíduos comprometidos com seu bem-estar pessoal em longo prazo pode reanimar sua vida e até mesmo salvá-la.

Encontre uma ou duas almas gêmeas para nutri-la

O nível mais profundo de amizade é com aqueles cujo amor alimenta nossa alma. É provável que você não tenha muitos relacionamentos desse tipo ao longo da vida. Algumas de vocês têm a mesma melhor amiga desde a infância, enquanto outras podem dizer que vários relacionamentos desse tipo se desenvolveram na hora certa, duraram algum tempo, mas depois houve um distanciamento. Você precisa apenas de uma ou duas amigas por vez que verdadeiramente a compreendam. Uma amiga pode lhe falar com total liberdade, pois você sabe no fundo de seu ser que ela quer o seu bem. Ela lhe dirá a verdade a seu respeito. Essa amiga rara dirá aquilo que ninguém mais está disposto a dizer. Ela é capaz de corrigi-la com amor (embora, por vezes, seu tom seja incisivo) e colocá-la na linha ao mesmo tempo que continua a apoiá-la. Acredita em você e no chamado de Deus para sua vida, fortalece seus dons e ora fervorosamente por seu crescimento espiritual e por sua maturidade. Todas nós precisamos de algumas amigas cujo amor alimente nossa alma.

Em 1Samuel, Davi estava numa situação difícil; o rei Saul o estava perseguindo e tentando matá-lo. Davi era um fugitivo e não sabia como sobreviveria até o dia seguinte. Jônatas, filho de Saul e amigo mais querido de Davi, arriscou a vida ao procurá-lo. Não teve medo de se identificar com Davi e se colocar ao lado dele no momento de grande necessidade.

Arriscou sua reputação, seu lugar no reino e até mesmo sua sucessão ao trono; Saul poderia facilmente tê-lo deserdado por ser o amigo mais chegado de Davi.

De acordo com 1Samuel 23.16, "Jônatas, o filho de Saul, foi encontrar Davi e o animou a permanecer firme em Deus". É comovente que Jônatas, em vez de esperar até Davi voltar para casa, tenha saído ao encontro dele. Jônatas desejava oferecer ânimo e consolação espiritual a seu amigo, não por meio de palavras dadas a um mensageiro, mas por meio de sua presença física, sua proximidade naquele momento de necessidade. E, quando Jônatas o encontrou, derramou vida e força sobre ele. Essa é uma amizade que nutre.

É provável que você tenha ouvido alguma versão desta citação atribuída a Elbert Hubbard: "A fim de ter um amigo você precisa, primeiro, ser um amigo". Sei que boas amizades são construídas de forma mútua, mas houve muitas ocasiões em minha vida em que eu não tinha forças para manter uma amizade. Depressão, enfermidade, exaustão ou tristeza profunda haviam me esgotado. Algumas de minhas amigas que alimentam minha alma vieram me procurar quando eu não pude procurá-las. E, quando me encontraram, derramaram força e vida sobre mim, incentivando-me a continuar confiando em Deus, não obstante as circunstâncias. O amor delas permitiu que eu prosseguisse com minha jornada.

Como encontrar amigas desse tipo quando você é esposa de pastor? Na maioria das vezes, formamos amizades por acaso; é algo que simplesmente acontece quando nossas vidas se cruzam com frequência e descobrimos interesses em comum. Algumas de minhas amizades mais preciosas se desenvolveram ao trabalhar lado a lado em um projeto de ministério ou participar do mesmo grupo de estudo bíblico para mulheres.

Há ocasiões, porém, em que é apropriado procurar construir uma amizade chegada. Eis algumas sugestões para considerar:

- Procure mulheres espiritualmente maduras. Uma recém-convertida provavelmente terá dificuldade em lidar com o fato de que você tem "fardos" a carregar.
- Comece devagar, compartilhando uma ou outra informação mais pessoal para verificar se a amiga é digna de confiança. Não há nada pior que ver alguém espalhar para outros algo que você contou em segredo.
- Procure mulheres que não "precisam" de você. Mulheres que desejam dividir com você um lugar sob os holofotes, aproveitar benefícios associados a sua função ou o prestígio de ser sua amiga não permanecerão ao seu lado quando surgirem dificuldades. Quando nossa igreja era bem pequena, minha amiga mais chegada nunca procurava sentar-se ao meu lado ou mesmo conversar comigo durante um evento. Contentava-se em acenar para mim de longe e sabia que, mais tarde, conversaríamos com calma por telefone. Ela certamente não precisava de minha atenção em público para validar nossa amizade.
- Quando você passa por uma crise pessoal, os únicos que permanecem ao seu lado são seus amigos mais chegados, e embora seja doloroso perceber que algumas pessoas das quais esperava apoio em um momento de necessidade sumiram, você será acolhida por aqueles que ficaram. Apegue-se a eles.
- Lembre-se de que algumas amizades têm fases. As circunstâncias mudam, e as pessoas também. Aprenda a ser grata pelas dádivas de amor e cuidado recebidas de uma amiga em determinada época, sem exigir que tudo

continue igual. Saiba que, no devido tempo, Deus trará outras amigas. Mantenha o coração aberto.

Mesmo que você siga essas diretrizes práticas para formar amizades saudáveis, precisa aceitar a realidade de que talvez, "do nada", uma amiga magoe você profundamente. Talvez ela traia sua confiança, faça fofoca a seu respeito, fique contra você, trate-a de modo desrespeitoso ou desacredite-a sorrateiramente e depois negue ao ser confrontada. Não posso garantir que algo assim não acontecerá, mas os benefícios de uma amizade chegada fazem valer a pena os riscos de ser magoada.

Só mais uma coisa. Ao conversar com outras esposas de pastor na Saddleback, elas me perguntaram: "É apropriado, em algumas situações, eu dizer que não tenho condições de desenvolver novos relacionamentos?". Com certeza! Não há nada de errado em traçar limites ao seu redor. Você não é obrigada a ter uma capacidade infinita para relacionamentos. Quando você precisa, simultaneamente, educar os filhos (e lidar com todas as implicações disso), cuidar da casa, talvez trabalhar fora, manter um casamento forte, ter tempo a sós com Jesus e ministrar na igreja para mulheres fragilizadas, pode não sobrar tempo para almoçar com suas conhecidas. É perfeitamente apropriado recusar uma oferta de amizade. Com toda delicadeza possível, diga algo como: "É muito gentil de sua parte. Gostaria muito de fazer isto ou aquilo, mas não vou poder. Mas saiba que me senti honrada de você me convidar". Devido a minha preocupação em agradar outras pessoas, essa foi uma aptidão difícil de desenvolver. Não quero decepcionar ninguém. No entanto, aprendi a dizer "não" com um sorriso e não sinto necessidade de me explicar. Vejo a tristeza no rosto de algumas pessoas e detesto quando isso acontece, mas sou apenas humana. Meus recursos emocionais e físicos não são ilimitados — e os seus também não. Precisamos reconhecer a necessidade de administrar nossa energia a fim de não nos esgotarmos.

A beleza de uma vida compartilhada

Minha oração é para que você resista ao impulso de se proteger que cria isolamento e solidão.

- Lembre-se de que somos apenas seres humanos. Não podemos andar sobre a água, viver no alto de um pedestal oscilante ou existir dentro de uma caixa sufocante de perfeccionismo.
- Tome a decisão de descer de seu pedestal hoje mesmo e recuse-se a subir nele outra vez.
- Tenha cuidado para não perpetuar entre os membros da igreja seu eu ideal, mas sim seu eu verdadeiro.
- Aceite o modo como Deus a vê. Você é ternamente amada, aceita e coberta de graça.
- Ande na luz da graça divina para que as partes escuras de sua alma recebam cura ao ser expostas a essa luz.
- Busque uma vida compartilhada com outros seres humanos falhos que também andam na luz e permita-se conhecer e ser conhecida em profundidade.
- Assuma o propósito de ser o tipo de amiga que ajuda outros a encontrar forças em Deus.

É uma lição de humildade reconhecer sua fragilidade humana e não permitir que os membros da igreja criem expetativas elevadas que você não é capaz de preencher. É difícil continuar andando na luz quando cada célula de seu ser lhe diz para correr de volta para o abrigo das sombras. É arriscado revelar intencionalmente seu verdadeiro eu ao buscar relacionamentos gratificantes. Mas, como aconteceu com Davi e Jônatas, é na amizade autêntica que nossa alma encontra forças em Deus. Fomos feitas para compartilhar a vida umas com as outras.

7

Cuide de si mesma

Quando o coração estiver em ordem,
a mente e o corpo também se ajeitarão.

Coretta Scott King,
esposa de Martin Luther King

Quando pensamos em começar um novo emprego, uma das perguntas mais importantes é: "Que benefícios a empresa oferece?". Queremos informações sobre plano de saúde, previdência privada, férias e licenças pagas e não pagas. Basicamente, nosso desejo é saber: "Vocês vão cuidar de mim?". Essa é uma excelente pergunta. Em vários sentidos, é a pergunta não verbalizada que fazemos em todos os nossos relacionamentos: "Você vai cuidar de mim? Vai suprir minhas necessidades?". No entanto, se você espera que a igreja, o marido ou uma amiga cuide de você, está prestes a sofrer uma séria decepção.

A verdade é que a única pessoa que cuidará de você será você mesma.

Talvez essa afirmação pareça cínica, mas reflete a realidade. Minha intenção não é menosprezar as pessoas em sua vida e dar a entender que elas não a amam como devem. Quero apenas destacar sua obrigação de cuidar de si mesma, de se responsabilizar por seu bem-estar.

Cântico dos Cânticos 1.6 diz: "De mim mesma [...] não pude cuidar". Essas palavras são atribuídas à sulamita ao lamentar que seu trabalho na videira de outra pessoa a impediu de cuidar daquilo que era importante para ela mesma. Toda mulher pode dizer, em algum momento, "de mim mesma não pude cuidar", mas especialmente as esposas de pastor, imersas em ministério, trabalho e questões familiares, não têm tempo de cuidar do próprio bem-estar. No entanto, anos de descuido podem resultar em consequências que nenhuma de nós deseja: esgotamento, problemas de saúde física, emocional e espiritual e solidão. Apresento a seguir quatro áreas que precisam de nossa atenção a fim de nos mantermos o mais saudáveis e dispostas possível para a vida e para o ministério.

Comer, dormir, exercitar-se

Rick é mestre de frases de efeito e famoso por seus provérbios. Membros da equipe pastoral competem entre si para ver quem se lembra do maior número. Nossos filhos brincam com ele sem dó nem piedade, usando frases de seus sermões para provocá-lo.

Minha coleção de frases de efeito é muito menor, mas espero ser lembrada por esta: controle as coisas controláveis e entregue as incontroláveis a Deus. Uma vez que tenho a tendência de sofrer de ansiedade e gosto de controlar tudo, essa é uma lição que preciso reaprender a cada manhã. Todas nós sabemos que é impossível controlar cada elemento de nossa vida frágil, e no entanto muitas de nós dedicamos esforço demais ao que é incontrolável e desconsideramos o que é controlável. Há muita coisa que podemos controlar se resolvemos fazê-lo. É muito mais fácil, porém, culpar outros por nossa insatisfação ou infelicidade. "Se meu marido/meus filhos/minha igreja fosse(m) diferente(s), eu seria diferente." Talvez seja hora de se olhar no espelho com honestidade e ver a origem de muitas de suas lutas: você mesma.

Durante décadas, neguei esse princípio com respeito a minha saúde física, mais especificamente quanto a alimentação, sono e atividade física. Não sou do tipo atlético. Detesto transpirar. É sério. Detesto. Além disso, tive uma lesão na região lombar durante a adolescência e passei os vinte anos seguintes tratando de problemas nas costas que culminaram com duas cirurgias para reparar os danos. Acostumei-me a tomar cuidado excessivo com minhas costas, e fazer exercícios sempre parecia piorar a dor.

Controle as coisas controláveis e entregue as incontroláveis a Deus.

Além disso, adoro preparar sobremesas. Observe que não disse que gosto de cozinhar. Gosto de fazer *sobremesas*. Quanto mais açucaradas, mais cheias de chocolate e mais calóricas, melhor. Bolos, biscoitos, tortas, doces, coberturas, recheios, sobremesas de todo tipo. Que delícia! Em resumo, *amo* açúcar. Quando, um tanto de má vontade, procurei ajuda para cuidar de minha saúde alguns anos atrás, o médico sugeriu que, no lugar de açúcar, eu usasse estévia, um adoçante natural feito de uma planta. Olhei bem nos olhos dele e declarei com veemência:

— Prefiro ter mal de Alzheimer a abrir mão do açúcar.

Como profissional competente e sereno, ele não caiu da cadeira nem teve um piripaque. Apenas perguntou calmamente, olhando-me nos olhos também:

— É verdade?

— Sim — respondi. — Com certeza.

E ele comentou de modo eufêmico:

— Esse seu apego ao açúcar é forte, não?

Creio que apaguei da memória o restante da conversa, pois, sem dúvida, minha declaração de amor pelo açúcar foi uma das coisas mais absurdas que já disse em minha vida. Naquele momento, porém, não tinha intenção alguma de tratar dessa questão.

Para tornar meu descuido com a saúde ainda mais desastroso, naquela época eu estava tendo dificuldade em dormir, pois Matthew estava em crise. Os pensamentos de morte e as tentativas de suicídio dele estavam acabando comigo. À noite era pior; dormia com o telefone por perto, pois geralmente era quando a depressão dele se aprofundava. Acostumei-me a acordar com a mais leve vibração do celular, e as conversas com Matthew por mensagem de texto no meio da noite às vezes se estendiam por horas. Mesmo quando não conversávamos ou trocávamos mensagens, parecia impossível acalmar a angústia e a ansiedade que sentia por meu filho querido. Creio que passei anos sem dormir uma noite inteira.

Havia circunstâncias fora de meu controle. Não tinha como controlar os problemas de coluna. Não tinha como controlar Matthew, nem o estrago que o transtorno mental estava causando na vida dele e na nossa. Não tinha como curá-lo e torná-lo "normal"; às vezes, não tinha nem mesmo como consolá-lo. Deixei que as coisas incontroláveis começassem a controlar aquilo que *era* controlável. Isso sem falar nas coisas que eu podia controlar, mas simplesmente não queria.

Passei a levar a sério o cuidado com meu bem-estar porque desejo ter uma vida e um ministério longos. Perguntei-me como seria, verdadeiramente, agir em conformidade com

Romanos 12.1 e oferecer meu corpo a Deus como sacrifício vivo. Que mudanças isso traria? O que seria necessário fazer para tornar meu corpo mais forte e mais saudável a fim de aumentar minha capacidade física de servir ao Senhor?

Comecei a prestar atenção em minha alimentação: quantidade, qualidade e tipo. Meus hábitos alimentares não são rígidos, mas tenho consciência de que a comida pode ser uma grande aliada na tarefa de me manter saudável ou uma grande inimiga para a boa saúde. Comecei a caminhar com frequência e a fazer pilates duas vezes por semana, bem como alguns exercícios baseados em biomecânica. Parei de ficar acordada até tarde e procuro desacelerar o ritmo no final do dia em vez de trabalhar até de madrugada para completar minha lista de afazeres. Essa nova rotina tem sido especialmente importante enquanto meu corpo, minha mente e minha alma lidam com a morte de Matthew; cuidar de *mim* mesma é essencial para vivenciar o luto.

Que relação isso tem com você? Que relação tem com sua vida no ministério?

Sua história talvez tenha semelhanças com a minha, ou talvez seja completamente diferente. Temos em comum, porém, a capacidade de exercer controle sobre uma parte muito maior de nosso bem-estar físico do que geralmente estamos dispostas a reconhecer. Você controla a qualidade e a quantidade dos alimentos que coloca na boca. Controla a movimentação de seu corpo, se faz exercícios ou não. Controla a hora de dormir — se fica assistindo a séries até meia-noite ou se vai para cama às dez e meia. É isso que significa controlar as coisas controláveis.

Parto do pressuposto de que você deseja ter muitos anos no ministério. Espero que deseje ser, pelo maior tempo possível, o mais forte, disposta e animada espiritual, emocional, física e mentalmente. Espero que realmente deseje em sua alma honrar a Deus com o corpo que ele confiou a seus cuidados. Muito bem! Para alcançar esses alvos, terá de fazer algumas mudanças. Terá de alimentar-se bem, dormir bem e exercitar-se bem.

Não sou nutróloga, nutricionista nem especialista em saúde. Sei, porém, que tenho quase 100% de controle sobre minha saúde — e você também tem. Não somos capazes de controlar todos os aspectos de nosso bem-estar físico (não é isso que estou dizendo), mas devemos fazê-lo na medida do possível. Nosso corpo contém o Espírito Santo de Deus, é um frágil vaso de barro que abriga o sagrado. Maltratamos esse vaso com frequência e depois nos perguntamos por que não conseguimos servir ao Senhor plenamente. Quero vida longa; quero servir a Deus com tudo o que tenho. Não quero ficar doente porque descuidei daquilo que Deus colocou em minhas mãos. Pode acontecer de eu ter um derrame ou um infarto, ou de voltar a ter câncer algum dia, mas não será porque não controlei as coisas controláveis. E não será porque agi de modo impensado e desperdicei um corpo saudável. Não tenho como controlar as coisas incontroláveis — elas estão nas mãos de Deus —, mas sou responsável por aquilo que está em *minhas* mãos.

Portanto, faça uma pausa hoje e pense em sua alimentação. Pense em como pode acrescentar exercício físico ao seu dia a dia. Pense em sua rotina ao ir para cama. Pode ser que sua vida e seu ministério dependam dessas coisas.

Nutra sua vida interior

Com base no que tenho observado, o segredo para a resiliência — a capacidade de sobreviver a circunstâncias de vida difíceis e desafiadoras — não é inteligência, talento ou mesmo unção. A resiliência começa com a *decisão* de cuidar de si mesma como um todo, de nutrir-se física, emocional e espiritualmente. As pessoas que se recuperam mais rápido da dor e da perda são aquelas que levam mais a sério o cuidado de si mesmas, especialmente de sua vida interior.

Gail MacDonald, em seu livro clássico sobre o ministério *High Call, High Privilege* [Chamado sublime, privilégio sublime], relata que ouviu um missionário aposentado comparar nossa paixão e zelo por Cristo a um fogo ardente em nosso coração que precisa ser alimentado para que as chamas não se apaguem. "O fogo que não é alimentado logo morre e se torna um monte de cinzas", disse ele. Em seguida, pediu a seus ouvintes que considerassem seriamente como estava seu fogo interior e observou que, se não prestarmos atenção, "todas as tentativas de atravessar os desafios da vida serão relativamente fúteis".[1]

A resiliência começa com a decisão *de cuidar de si mesma como um todo, de nutrir-se física, emocional e espiritualmente.*

Esse relato, que li pela primeira vez em 1981, ficou gravado na memória. Tem me levado a avaliar continuamente o estado de meu fogo interior e identificar em que aspectos tenho permitido que as chamas cálidas e radiantes se tornem brasas prestes a se extinguir. Quando o fogo de nossa identidade começa a morrer por causa de excesso de atividades, descuido ou circunstâncias difíceis, não temos nada para oferecer às pessoas que fazem parte de nossa vida. Não sei quanto a você, mas já experimentei o vazio que é tentar ministrar com um coração enregelado. É perturbador dar-se conta de que você não se preocupa com as necessidades de sua família, de seus amigos e vizinhos e dos membros de sua igreja, não porque você é uma pessoa insensível, mas porque, de algum modo, deixou de manter e proteger o fogo interior e não resta uma brasa sequer.

Todas nós enfrentamos tensões e pressões que ameaçam nos destruir, que nos impedem de cuidar do fogo da paixão pela vida e do prazer de viver, tensões e pressões que nos levam a pensar que, se tivermos mais uma conversa com alguém, explodiremos em bilhões de pedacinhos. Talvez você sinta um desejo irresistível de correr, de fugir e deixar tudo para trás. Se seu coração está frio ou estéril, ou se você está resistindo ao impulso de jogar tudo para o alto, preste atenção. Por favor.

Charles Swindoll fala da ocasião em que visitou um casal rico e observou palavras entalhadas no friso da lareira. Aproximou-se da peça de madeira e leu: "Se seu coração estiver frio, meu fogo não poderá aquecê-lo".[2]

Essa é uma forte lembrança de que prazeres temporários — uma bonita lareira, um vestido novo, um coquetel, férias ou um caso extraconjugal — não podem aquecer um coração frio. Recorremos a todos os expedientes errados para reacender o fogo que se apagou dentro de nós. Nenhuma dessas coisas aquecerá nosso coração quando estiver frio. De acordo com Swindoll, a única forma de aquecer um coração enregelado é voltar à intimidade com Deus, ao qual a Bíblia se refere como "fogo devorador". Somente ele pode reacender o fogo interior.

Você é a única responsável por sua vida espiritual. Ninguém pode obrigá-la a crescer na fé. Seu marido não insistirá todas as manhãs para que você tenha um momento devocional com o Senhor. Ele não pode memorizar versículos por você. Não pode lhe dar um coração rendido ao Senhor. Você é a única pessoa que pode cultivar profundidade de alma em seu interior. Cabe a você participar da videira, com toda sua vitalidade, e permanecer em Cristo. Jesus disse:

> Permaneçam em mim, e eu permanecerei em vocês. Pois assim como um ramo não pode produzir frutos se não estiver na videira, vocês também não poderão produzir frutos a menos que permaneçam em mim. Sim, eu sou a videira; vocês são os ramos. Quem permanece em mim, e eu nele, produz muito fruto. Pois, sem mim, vocês não podem fazer coisa alguma.
>
> João 15.4-5

Minha filha Amy, esposa de pastor, tem doença de Lyme, uma enfermidade crônica com a qual ela luta há muitos anos. Como você pode imaginar, há variações drásticas entre períodos de saúde razoavelmente boa e recaídas. Alguns dias, ela me deixa pasma com sua produtividade; outros dias, é uma grande coisa se consegue escovar os dentes. Ela aprendeu da maneira difícil que sua única esperança de conviver com os altos e baixos dessa enfermidade crônica é permanecer em Jesus, buscando diariamente intimidade com ele. Do contrário, o trabalho de educar três filhos, ministrar a vizinhos e amigos que estão sofrendo e apoiar o marido no ministério excede sua capacidade.

Amy diz: "O cristianismo é uma obra que acontece do lado de dentro; em outras palavras, minha realidade interior tem poder para superar minhas circunstâncias exteriores se eu escolher aprender os caminhos de Deus. À medida que as circunstâncias difíceis se acumularam ao longo dos anos, tive de fazer a escolha de buscar espiritualmente os lugares subterrâneos, por assim dizer, a fim de sobreviver. A realidade acima do solo tem sido tão difícil, assustadora e aparentemente desesperadora que me recolher para um espaço com Deus em minha alma é uma necessidade. Ali, onde seria de supor que haveria escuridão, encontrei luz. Encontrei Jesus pronto a me fortalecer e me consolar, a me conceder sua paz e alegria. À medida que minha condição física melhora, o desafio é permanecer nesse lugar de intimidade com Jesus, não apenas visitá-lo de vez em quando, mas viver a partir dessa realidade interior. Permanecer se tornou a atividade diária resoluta de minha alma".

Talvez você tenha dado atenção ao corpo, à mente e à alma; tenha permanecido perto de Jesus; tenha se esforçado ao máximo para sentir-se melhor, mas não tenha visto resultados. É possível que esteja sofrendo de depressão. Se é o caso, você não está sozinha, minha irmã querida. Não sinta, por um momento sequer, vergonha ou constrangimento. Pessoas da Bíblia, pais e mães da igreja primitiva, teólogos respeitados e pastores e líderes de igreja famosos ao longo dos séculos, bem como muitas leitoras deste livro, conviveram ou estão convivendo com crises de depressão. Não é pecado estar deprimida. Não significa que você é fraca ou defeituosa, nem que você tem uma falha de caráter. Você não é imatura na fé. Depressão é uma doença; é real, é comum e tem tratamento. É fundamental entender que a depressão não tratada pode ser fatal. Marque uma consulta com sua médica o mais rápido possível e converse com ela sobre seus sintomas. Talvez ela peça exames laboratoriais para verificar diversas questões que podem estar afetando seu humor e a encaminhe a um psiquiatra para uma avaliação mais detalhada. Talvez recomende algum medicamento que a ajude a administrar a profunda melancolia que a depressão pode causar. Qualquer que seja o caso, não tenha medo de conversar com sua médica e não espere!

Além disso, também é um grande consolo poder falar sobre seus sentimentos com uma amiga de confiança ou com um membro de seu pequeno grupo e ter alguém que ouça, lhe dê ânimo e ore com você. Somos seres plenos — corpo, mente e alma —, portanto trate da depressão em todas essas áreas. Cuide de sua saúde física e emocional e de seus relacionamentos. Acima de tudo, não sofra sozinha e em silêncio; não esconda sua dor de seus irmãos em Cristo. Conforme observamos anteriormente, você faz parte do corpo de Cristo, e quando um membro sofre, todos sofrem. Como Larry Crabb afirma, a igreja deve ser o lugar mais seguro da terra, onde podemos apresentar nossa verdadeira identidade fragilizada, deprimida, viciada ou ansiosa, tudo o que somos ou não somos, e encontrar não apenas um abraço acolhedor, mas companheiros de luta que realizarão a jornada conosco não importa quanto tempo leve.

Observe o dia de descanso

É impossível falar sobre cuidar de si mesma sem falar sobre dias de folga, férias e a prática do dia de descanso, ou seja, sobre encontrar, semanalmente, maneiras de se desligar das responsabilidades do ministério. Sei que provavelmente estou "pregando para convertidas", pois quase sempre são os pastores que têm dificuldade de separar tempo suficiente para descansar, não é mesmo? Aliás, na pesquisa que realizei, mais da metade das mulheres que participaram respondeu que o marido não reserva tempo suficiente para descansar. Muitas disseram que a igreja não oferece tanto tempo livre quanto elas consideram necessário ou que o marido tem dificuldade de colocar as responsabilidades de lado e descansar de fato.

O falecido Eugene Peterson, um dos teólogos mais respeitados da atualidade, disse:

> Uma das coisas mais difíceis em nosso país é escapar deste mundo ditado pela agenda em que vivemos, este mundo em que as coisas são tão dissociadas das estações do ano, de dia ou noite, dos ritmos ao nosso redor e dentro de nós, dos batimentos de nosso coração, de nosso pulso, de nossa respiração. Se deixarmos que a cultura defina como viveremos, teremos uma vida cheia de atropelos. Creio que para mim, e para muitas pessoas com as quais trabalhei e conversei sobre esse assunto, o ponto de partida é o dia de descanso. Ele é a única interrupção ainda possível na vida de tumultuada fragmentação. Você pode tirar um dia de folga.[3]

Sabemos que essa é uma instrução bíblica (os Dez Mandamentos são bem claros sobre o dia de descanso semanal), então por que é tão difícil colocá-la em prática? Há vários motivos, mas dois recorrentes são:

1. A síndrome de caminhar sobre a água. Imaginamos que a igreja *precisa* de nós e não pode funcionar sem nossa atenção 24 horas por dia, sete dias por semana. Um dos muitos resultados dessa síndrome doentia é a dependência emocional que se desenvolve entre pastor e membros. Quanto mais nos colocarmos à disposição a qualquer hora, mais os membros da igreja permanecerão impotentes, prendendo-nos em um relacionamento disfuncional.
2. Uma compreensão equivocada da teologia do corpo de Cristo. Conversamos sobre como a igreja é o corpo de Cristo e tem grande variedade de partes que devem

> trabalhar juntas para o bem do todo. Se seu marido não capacitar outras partes do corpo para realizar o trabalho ministerial, os dons de outros membros serão desperdiçados, e eles não terão a alegria e a realização de servir; ao mesmo tempo, será impossível seu marido ter o descanso e a renovação de que precisa para permanecer saudável.

Vi esses dois equívocos na prática nas igrejas em que cresci. Não se enfatizava a capacitação dos santos para a obra do ministério. Na mente dos membros, o ministério era trabalho do *pastor*. Meu pai era o profissional pago, e esperava-se que realizasse todas as visitas a enfermos hospitalizados ou acamados em casa, a todos os possíveis membros ou àqueles que tinham parado de frequentar os cultos, que fizesse todos os casamentos e funerais, que lecionasse ou pregasse em vários programas durante a semana e, *além disso*, que participasse de reuniões do conselho e de comissões, por mais desgastado ou exausto que estivesse. Isso é errado! Se seu marido está nessa roda-viva, mostre para ele Efésios 4.12-13 e lembre-o de que a igreja é feita de *ministros* que receberam dons para *ministrar*.

Precisamos ser honestas, ainda, a respeito de outro possível obstáculo para dias de folga e férias que não é de ordem teológica, mas é bastante real. Se seu marido não é o pastor titular, provavelmente não tem muita escolha quanto às folgas que lhe são permitidas tirar, ou, mesmo que no papel ele tenha direito a folgas, na realidade diária de prazos a cumprir e de reuniões inesperadas é possível que se sinta pressionado a fazer horas extras. Essa situação cria conflito entre ele e sua família frustrada, ou entre ele e o pastor titular ou a equipe de liderança, e com certeza ninguém sai ganhando.

Embora os dois primeiros motivos para não separar tempo de descanso sejam mais fáceis de resolver do que este (pois são teológicos e devem ser tratados nesse nível), não há uma solução pronta para quem não é o pastor titular e está à mercê de seus superiores. Cada situação é diferente e exige uma abordagem específica ao tratar com quem define os períodos de férias e descanso. Creio, porém, que sua principal responsabilidade diz respeito à capacidade de seu marido de ter um ministério duradouro, e à saúde e bem-estar de sua família. Se precisarem trocar de igreja, troquem de igreja. Na medida do possível, coloque sua família em uma igreja com valores semelhantes aos seus a respeito da saúde espiritual, emocional e física em longo prazo.

Crie uma rotina revigorante

Venho de uma família evangélica conservadora; isso significa que nossos rituais no domingo eram bastante simples e, em sua maior parte, eram uma lista de negativas. Não vá ao *shopping*, não vá a restaurantes, não vá ao cinema e não jogue cartas. Sem dúvida, o domingo não era um dia de descanso em nossa família, a menos que você conte o cochilo à tarde, entre escola dominical/culto matinal e culto vespertino.

Nosso dia de descanso era às segundas-feiras. Quando criança, eu imaginava que todos os pais tinham folga na segunda. Era uma época de mais simplicidade. Estacionávamos o carro perto de um centro comercial e ficávamos observando o movimento. Estou falando sério. Cada um comprava um hambúrguer simples com fritas na lanchonete e, depois, um sorvete pequeno de sobremesa. E assim passávamos horas fazendo suposições divertidas sobre as pessoas que observávamos. É o que você faz quando não tem dinheiro para gastar no *shopping*. Também fazíamos muitos piqueniques e acampávamos, mas as segundas-feiras eram para observar as pessoas.

Rick e eu demos continuidade à tradição de descansar às segundas-feiras depois que começamos a Igreja Saddleback. Em mais de uma ocasião, ele comentou que detesta sentir-se tão exausto em seu dia de folga, mas depois de pregar em até seis cultos a cada fim de semana, está acabado e precisa encarecidamente de descanso. Rick reconhece que é *workaholic*, e para ser completamente honesta às vezes eu não fico atrás. Não era o caso, mas mudei quando comecei a trabalhar em período integral depois que nossos filhos saíram de casa. Envolvo-me tanto quanto Rick com os prazos a cumprir, os projetos que exigem minha atenção e as mensagens que tenho de preparar. Esse é um dos motivos pelos quais sempre tiramos um dia por semana para descansar. Sempre. Também é o motivo pelo qual sempre separamos o mesmo dia da semana, a menos que haja algum motivo muito premente para mudá-lo. Descobrimos que, se pretendemos tirar *algum* dia de folga na semana, mas não agendamos um dia específico, sempre surgem reuniões, compromissos ou tarefas importantes que empurram o dia de descanso para a semana seguinte... ou a seguinte... ou a seguinte. Por isso reservamos as segundas-feiras.

Quando nossos filhos eram pequenos, cuidávamos das crianças dos vizinhos, e eles das nossas, para ter umas poucas e maravilhosas horas a sós como casal. Depois que as crianças começaram a ir para a escola, as noites de segunda-feira se tornaram as noites da família, um tempo sagrado e quase inviolável. Nossos filhos se revezavam para escolher o cardápio do jantar e as atividades, desde cachorros-quentes seguidos de *video games* até hambúrgueres no quintal seguidos de jogos de tabuleiro, e mais uma porção de combinações. A noite da família nunca foi uma programação dispendiosa; seu valor consistia em passarmos tempo juntos.

Hoje em dia, Rick fica feliz da vida quando trabalha no jardim, cuidando de suas plantas e hortaliças, deixando a mente descansar em serena comunhão com Jesus, e sem precisar falar! Se ele tiver terra, uma pá e algumas sementes, desliga-se do resto do mundo. Uma caminhada, uma ducha, algo apetitoso para comer e tempo a sós comigo e ele está pronto para voltar a todo vapor na terça-feira.

Visto que temos cultos aos sábados à noite, comecei a frequentá-los com meus filhos e netos, o que me permite, pela primeira vez em toda a minha vida, ficar em casa nas manhãs de domingo. Vou lhe dizer: é a mais absoluta e pura felicidade! É o único momento da semana em que fico sozinha, e aproveito ao máximo cada minuto. Criei rituais que tornam essas poucas horas mais ricas de significado e renovação. Tenho até uma caneca especial para beber chá nesses momentos. Ela traz estampadas as palavras: "TRANQUILA COMO AS MANHÃS DE DOMINGO". É um tanto irônica. Manhãs de domingo *tranquilas*? Não uso essa caneca nenhum outro dia; ela é reservada para meu tempo de descanso aos domingos. Antes que você me odeie por eu ter tempo para mim mesma nas manhãs de domingo, deixe-me dizer que tenho plena consciência de que a vida e as circunstâncias podem sofrer outra mudança drástica a qualquer momento e impossibilitar manter esse período de descanso.

Quando o tempo está bom (o que acontece com frequência), dou uma caminhada e observo os pássaros disputarem espaço nos galhos das árvores. Fecho os olhos e procuro identificar sons e odores que talvez passem despercebidos quando estou com os olhos abertos. Sento-me em silêncio e observo os sussurros da presença de Deus ao meu redor. Muitas vezes, também sento-me ao piano e vou tocando. Começo na primeira página do hinário e toco até a um terço ou metade dele. Toco e canto até que meus dedos e punhos comecem a doer e minha voz fique rouca, ou até ter chorado o suficiente. Às vezes, as lágrimas vêm porque tenho uma lembrança associada a determinado hino; às vezes, choro porque a letra fala de modo profundo a respeito da esperança do céu; às vezes, simplesmente fico maravilhada com quem Deus é e com o fato de ele me amar. Então, começo a andar pela casa, fazendo pequenas tarefas; coloco algumas roupas para lavar, ajeito algumas coisas e procuro uma receita que esteja com vontade de experimentar, mas tudo em ritmo tranquilo, sem pressa, com tempo para meditar e refletir. Em poucas horas, estou renovada, pronta para interagir novamente com a família, os amigos e o mundo.

Você tem rituais que tornam seu dia de descanso santo, separado, desligado da igreja? Rotinas que a distanciam da vida diária e das responsabilidades de sempre? Oportunidades de se calar e se aquietar? Momentos para realizar atividades que a revigoram? Em Marcos 6.31, Jesus nos chama a descansar: "Jesus lhes disse: 'Vamos sozinhos até um lugar tranquilo para descansar um pouco', pois tanta gente ia e vinha que eles não tinham tempo nem para comer".

Você consegue ouvir o convite de Jesus nesse versículo? Em vez de repreender os discípulos por não realizarem mais atividades, por não organizarem mais um evento para as multidões, ele vê o cansaço e a necessidade que eles têm de estar sozinhos com ele em um lugar tranquilo para que possam descansar. Quer você tenha deixado seu fogo interior morrer por causa de desobediência, quer ele tenha sido apagado por tristeza, enfermidade ou excesso de atividades, a oferta de Jesus é a mesma: Venha passar tempo comigo. Faça isso por você. Sem o barulho e o caos da vida diária. Por favor, descanse.

Peter Scazzero, autor de *Espiritualidade emocionalmente saudável*, diz: "Imitamos Deus quando suspendemos nosso trabalho e descansamos".[4] Posso estar errada a respeito do que direi agora, mas não creio que esteja. Tirar um dia de folga e enchê-lo de atividades é contrário ao espírito do dia de descanso, que consiste em um tempo de quietude e repouso de atividades. Tenho consciência de que minha ênfase pessoal é sobre ser em lugar de fazer, e de que pessoas com uma personalidade mais ativa talvez argumentem que se sentem mais próximas de Deus quando estão fazendo algo. Não há nada de errado em realizar atividades divertidas em seu dia de folga, mas tenho dificuldade de acreditar que apenas arrumar os armários ou ir ao cinema com os amigos expresse a essência do dia de descanso. *Em algum momento* das 24 horas do dia de descanso as atividades, o barulho, a produtividade e as interações precisam cessar, e isso inclui desligar todos os equipamentos eletrônicos. Quem não consegue respirar sem o celular talvez leve algum tempo para habituar-se a essa ideia, mas, mesmo que seja por apenas quinze minutos, aquiete-se, desconecte-se e descanse.

Em algum momento *das 24 horas do dia de descanso as atividades, o barulho, a produtividade e as interações precisam cessar, e isso inclui desligar todos os equipamentos eletrônicos.*

Fique bem

Anos atrás, Rick e eu compramos de uma senhora idosa um carro usado com baixa quilometragem. Levamos o carro para

Tijuana, no México, para retocar a pintura e colocar bancos de couro novos a um preço camarada. Por isso o carro recebeu o apelido afetuoso de "La Bamba". Certo dia, observamos que uma bolha havia se formado no pneu da frente do lado do motorista; estava crescendo e parecia prestes a explodir. Com grande cautela e temor, Rick e um amigo (que chamou o pneu danificado de "fazedor de viúvas") trocaram o pneu danificado, cientes de que, se ele explodisse enquanto o removiam, poderia acontecer uma tragédia.

Não deixe que a vida e o ministério a levem a explodir... ou a jogar tudo para o alto... ou a tornar-se indiferente... ou a desistir. Cuide bem de si mesma. Assuma o controle das coisas controláveis e entregue as incontroláveis a Deus. Preste atenção em seu corpo e honre-o como lugar de habitação de Deus. Preste atenção em sua alma; alimente as chamas do entusiasmo por Jesus para que o fogo cálido da intimidade continue a arder intensamente um ano após o outro. Fique atenta para sua vida emocional; crie espaço para atividades que a revigorem. Preste atenção em sua mente e suas emoções, e procure ajuda se a depressão ou a ansiedade se instalarem. Procure, corajosamente, tempo sem interrupções para estar com seu marido e para vocês dois estarem com seus filhos a fim de que possam ser reabastecidos e restaurados. Lembre-se do dia de descanso ao mantê-lo santo. Fique bem, minha irmã.

8
Valorize fases e momentos

> Qualquer que seja o chamado específico, o sacrifício específico que Deus peça a você, a cruz específica que ele deseja que tome, qualquer que seja o caminho específico que ele queira que trilhe, você se levantará e dirá em seu coração: "Sim, Senhor, eu aceito; sujeito-me, rendo-me, assumo o compromisso de trilhar esse caminho, de seguir essa Voz e de deixar as consequências em tuas mãos"? Ah! Mas você diz: "Não sei o que ele desejará depois". Nenhum de nós sabe, mas sabemos que estaremos seguros em suas mãos.
>
> Catherine Booth,
> esposa de William Booth

Em Eclesiastes 3.1-8, a Bíblia nos ensina que Deus confere equilíbrio à natureza por meio das estações e que cada uma tem função e propósito em seu plano maior para os frágeis ecossistemas da terra e seus ainda mais frágeis habitantes. Esses versículos confirmam que, para todas nós, a vida é vivida em pequenos segmentos.

> Há um momento certo para tudo,
> um tempo para cada atividade debaixo do céu.
> Há tempo de nascer, e tempo de morrer;
> tempo de plantar, e tempo de colher.
> Tempo de matar, e tempo de curar;
> tempo de derrubar, e tempo de construir.

Tempo de chorar, e tempo de rir;
tempo de se entristecer, e tempo de dançar.
Tempo de espalhar pedras, e tempo de ajuntá-las;
tempo de abraçar, e tempo de se afastar.
Tempo de procurar, e tempo de deixar de buscar;
tempo de guardar, e tempo de jogar fora.
Tempo de rasgar, e tempo de remendar;
tempo de calar, e tempo de falar.
Tempo de amar, e tempo de odiar;
tempo de guerra, e tempo de paz.

Um dia após o outro. Há tempo para filhos serem concebidos na escuridão do útero, e tempo para todos nós voltarmos ao pó do qual viemos. Há tempo para as sementes permanecerem adormecidas no solo, e tempo para irromperem com crescimento visível acima do solo. Um dia após o outro. Há um tempo para cada coisa, uma estação para cada atividade sob o sol. O ritmo da natureza se repete infindavelmente, uma estação após a outra.

Creio que a vida e o ministério também chegam até nós em estações. Mas as estações da vida e do ministério, ao contrário das estações da natureza, não são definidas por fases previsíveis da lua ou pelo ciclo de crescimento esperado da semente. A vida e o ministério são mais complicados e muito menos exatos, e um só acontecimento pode nos lançar de uma estação a outra num piscar de olhos. Incerteza, imprevisibilidade e mudanças rápidas com frequência geram estresse por vezes tão intenso que resulta em um dos motivos pelos quais pastores abandonam o ministério: esgotamento. Como experimentar paz e descanso para nossa alma nas estações variáveis da vida e do ministério? É isto o que eu sei: aprenda os ritmos espontâneos da graça, entregue sua agenda diária a Deus, adapte-se à fase em que você está e aproveite os momentos.

Aprenda os ritmos espontâneos da graça

Mateus 6.33 diz: "Busquem, em primeiro lugar, o reino de Deus e a sua justiça, e todas essas coisas lhes serão dadas".

Esse versículo sempre gerou ansiedade em mim. Mesmo quando criança, sentia enorme pressão para seguir essa instrução. Sempre foi meu desejo buscar o reino de Deus em tudo o que faço.

O difícil é descobrir *como* certificar-me de que estou buscando o reino de Deus em primeiro lugar em minha vida. Como perfeccionista apegada a regras e que entende as coisas de forma literal, saí em busca de uma forma infalível e garantida de determinar se Jesus estava no centro. Gosto das coisas "preto no branco"; portanto, quando pessoas que eu respeitava propuseram que eu vivesse conforme uma lista de prioridades, adotei essa abordagem de bom grado. Afinal, quem não se sente bem de marcar um *x* dentro da caixinha correta? A maioria de vocês provavelmente concordaria com a lista de prioridades que recebi: Primeiro, Deus. Certo. Segundo, marido. Certo. Terceiro, filhos. Certo. Daí em diante, fica um tanto confuso, mas minha lista dizia igreja e ministério em quarto lugar. Certo. Em seguida, trabalho? Certo. Amigos? Certo. Todas as outras pessoas e necessidades do mundo. Certo. Certo. A lista devia, supostamente, fornecer diretrizes claras para garantir que eu colocasse Deus em primeiro lugar, e eu me esforcei para segui-la. Esforcei-me *para valer*, mas, com o passar do tempo, minha ansiedade só aumentou.

Meu dilema era o seguinte: se eu acordava de manhã e pensava primeiro em Rick em vez de pensar em Deus, estava colocando Rick em primeiro lugar? Se meus filhos e suas necessidades me vinham à mente antes de outras coisas, significava que os estava colocando antes de Deus? Se assim fosse, eu estava condenada ao fracasso um dia após o outro, pois não conseguia fazer a lista de prioridades cooperar com as realidades de minha vida.

Quando tentamos viver conforme uma lista de prioridades, estamos pedindo para nos frustrar completamente, pois é impossível levar a vida dessa forma. Não creio que Deus tivesse isso em mente quando nos instruiu a buscar seu reino em primeiro lugar. Em vez da lista, comecei a pensar em uma roda com vários raios ligados ao eixo central. Eu sou a roda, Jesus é o eixo, e todos os meus relacionamentos e responsabilidades são os raios. Uma roda se desmonta — nem chega a funcionar — se os raios não estiverem presos ao eixo. Cristo é o centro de nossa vida; desmontamos e não conseguimos funcionar quando não estamos ligadas a ele. Tudo o que faço vem de meu relacionamento com Cristo. Ele não está do lado de fora da roda, nem é um de seus vários raios. Ele é o centro, que faz com que cada parte de minha vida funcione como deve. Quando estou ligada a Jesus, essa ligação afeta o tipo de esposa, mãe, ministra e amiga que sou. Em meio às mudanças diárias da vida, posso descansar mais tranquila, pois sei que estou andando junto dele.

Outro conceito apresentado com frequência é o de que devemos ter uma vida equilibrada, dedicando a cada área a mesma medida de tempo e atenção. No papel, parece sensato e lógico. Mas, assim como viver conforme uma lista de prioridades, essa abordagem geralmente só produz mais frustração.

Eugene Peterson propõe ritmos em lugar da busca por equilíbrio e de uma vida conforme uma lista de prioridades. Sua paráfrase de Mateus 11.28-30 na Bíblia *A Mensagem* é poesia ricamente nuançada:

> Vocês estão cansados, enfastiados de religião? Venham a mim! Andem comigo e irão recuperar a vida. Vou ensiná-los a ter descanso verdadeiro. Caminhem e trabalhem comigo! Observem como eu faço! Aprendam os ritmos livres da graça! Não vou impor a vocês nada que seja muito pesado ou complicado demais. Sejam meus companheiros e aprenderão a viver com liberdade e leveza.

Em uma entrevista com Gabe Lyons, Peterson explicou o que ele quis dizer quando se referia a uma vida em ritmo:

> Permita-me explicar melhor ao dizer que ritmo é algo extremamente individual. Não há como impor um ritmo a alguém; é preciso entrar no ritmo. E não é necessário que todos tenham o mesmo ritmo. Algumas pessoas conseguem se mover em um compasso ternário e outras, em um compasso quaternário. Não é necessário imitar outros. Não é possível imitá-los. É preciso encontrar o ritmo de seu corpo, de sua vida, de sua história. Ter ritmo significa vivenciar quem você é em relação a quem Deus é, quem Jesus é. Parece mais uma dança.[1]

Outra imagem que pode nos ajudar a refletir sobre buscar a Deus em primeiro lugar enquanto convivemos com pessoas de carne e osso que têm necessidades, é a de um rio. Partimos da plena consciência de que Deus é nosso maior desejo e de que "nele vivemos, nos movemos e existimos" (At 17.28). Ele está conosco a cada momento, não nos deixa um segundo sequer de nossa existência aqui na terra. E, estando nós nele, e ele em nós, entramos no "rio" da vida diária. Um rio não corre exatamente na mesma velocidade todos os dias. É influenciado por circunstâncias como condições climáticas ou a construção de uma barragem em parte de seu leito para que flua de modo diferente. Essa imagem reflete bem o fato de que, todos os dias, acontecem em nossa vida coisas que afetam seu fluir e as áreas às quais dedicamos tempo e atenção. Em vez de viver conforme uma lista de prioridades, acompanhamos as variações de modo fluido, à medida que mudam as necessidades do marido, dos filhos, do trabalho e dos ministérios.

Conscientes de que ocorrem variações em nossa existência, não ficamos estressadas demais com o fluxo mais intenso do rio em determinado dia, pois sabemos que é temporário. Dedicamos tempo e atenção a uma área e, quando o rio muda, dedicamos tempo e atenção a outra área. Aprendemos a entregar nossa agenda diária a Deus.

Entregue sua agenda diária a Deus

Não sei quantas de vocês gostam de criar listas de coisas a fazer, mas eu tenho uma compulsão por listas. Anoto-as em todo lugar: em pedacinhos de papel, em uma folha grande, em meu computador. Já aconteceu até de escrever na palma da mão. Culpo minha mãe por essa compulsão.

Descobri, porém, que a vida nunca coopera com minhas listas. Nunca. Alguma de vocês já teve essa experiência? Planejou todo o seu dia. Sabe o que deve acontecer. Sabe com quem precisa falar, com quem precisa se encontrar e que tarefas precisa realizar. Organizou tudo perfeitamente. Então, a vida e as interrupções acontecem e você não consegue seguir seus planos; as coisas não caminham como você imagina que deveriam. Fico bastante chateada quando isso acontece.

Quando meus filhos estavam em casa, eu costumava dizer para eles: "Ai de quem bagunçar com a agenda da mamãe. É encrenca das grandes!". De lá para cá, aprendi que é sinal de imaturidade ficar estressada quando não consigo cumprir a agenda. Em contrapartida, é sinal de piedade crescente ter flexibilidade à medida que a vida se desdobra.

Quando colocamos em prática Salmos 31.15, "nas tuas mãos, estão os meus dias" (RA), reduzimos o estresse de nossa vida. Esse versículo se torna uma oração: "Meus dias estão em suas mãos, Senhor. É o Senhor que dirige minha vida e sabe o que preciso fazer". Portanto, quando há interrupções, quando as coisas acontecem de forma diferente do que planejamos, posso me irritar e ficar com raiva das pessoas e situações que bagunçaram minha agenda ou posso fluir com as mudanças de modo sereno, crendo que meus dias estão nas mãos de Deus.

O relato de Marcos 5.21-43 inicia-se com Jesus dirigindo-se à casa de Jairo, líder da sinagoga, para curar a filha dele que está morrendo. É uma emergência. No caminho, uma mulher com um problema crônico de saúde — a Bíblia diz que ela sofria de hemorragia contínua havia doze anos — se aproxima de Jesus para tocar suas roupas. Acredita que, se o fizer, será curada. Quando a mulher toca na borda do manto de Jesus, ele percebe de imediato e volta-se para falar com ela. Quem está numa situação de emergência sabe que não deve se deter com aquilo que não é urgente; toda a energia deve ser dedicada a cuidar, primeiro, da situação de vida ou morte. Isso se chama triagem. No entanto, em uma reação espantosa à mulher cujo problema não era crítico, Jesus para, conversa com ela e a cura.

Tenho dificuldade de entender essa cena. Há uma menina à beira da morte. Aliás, enquanto Jesus se demora conversando com a mulher, Jairo recebe a notícia de que sua filha morreu. Jesus não deveria apertar o passo e correr para trazê-la de volta à vida? Em vez disso, ele para e fala com uma mulher que não está morrendo, que não é um caso urgente. É impossível não perguntar: "Por que ele agiu desse modo? Por que permitiu que alguém o interrompesse e até o detivesse no meio de uma situação tão grave?".

As Escrituras nunca são aleatórias ou sem sentido, portanto deve haver uma verdade por trás desse encontro estranho, aparentemente ilógico, para não dizer insensível (em relação a Jairo e sua filha). Pergunto-me se o princípio a ser compreendido é o de que, por vezes, a pessoa interrompida não é tão importante quanto a pessoa que a interrompe. Entendeu? Muitas vezes, agimos como se nossas agendas e nossos planos para o dia fossem sagrados, intocáveis e absolutamente insuscetíveis a interrupções. Mas Deus talvez saiba de algo que não sabemos e permita as interrupções, o que, não raro, destrói as listas que elaboramos com tanto cuidado. Sem dúvida, há momentos em que a situação ou a pessoa que interrompe — um filho, um amigo, um desconhecido — é mais importante que a pessoa interrompida: eu.

Para ser sincera, não gosto disso. Ainda quero minha agenda. A verdade, porém, é que Deus sabe como o meu dia deve ser. Deus sabe como o *seu* dia deve ser. Sabia antes de você se levantar pela manhã o que lhe aconteceria hoje. Sabia das emergências. Sabia do que não era emergência, mas que se passaria por tal. Sabia do que surgiria em sua vida e atrapalharia o que você imaginava que precisava fazer, com quem precisava falar e o que precisava terminar.

Não tenho outra resposta a lhe dar senão dizer que, muitas vezes, supomos que as interrupções não são importantes.

Imaginamos que sabemos como deve ser o dia de hoje e, a nosso ver, uma interrupção não pode ser tão importante quanto aquilo que nos propusemos fazer.

Estou tentando aprender a parar e dizer: "Muito bem, Deus, meus dias estão em suas mãos. O Senhor sabia antes de mim o que este dia traria, portanto a interrupção — o filho, o marido, o telefonema, algo inesperado que toma meu tempo — está em suas mãos. Não deixe que eu cometa o equívoco arrogante de imaginar que minha agenda deve ser honrada em lugar da interrupção que o Senhor permitiu".

Não me entenda mal. Nem toda interrupção é importante. Por vezes, as interrupções são resultado de vivermos em um mundo decaído, em que coisas ruins acontecem. Um engavetamento com três carros à sua frente na avenida não é, necessariamente, uma boa interrupção. Mas, a cada vez que somos interrompidas, temos a oportunidade de ir a Deus, buscar sua face, conversar com ele e ouvir sua voz. Ele mostrará que a interrupção faz parte dos planos dele para seu dia ou lhe dará a percepção necessária para desviar-se dela a fim de voltar à tarefa ou ao objetivo em questão. De qualquer modo, Deus lhe concederá graça para entender que tudo está sob o controle dele, aconteça o que acontecer.

Adapte-se à fase em que você está

Parece que as mulheres de hoje compraram a ideia fantasiosa de que podem fazer tudo, ter tudo e ser tudo — e tudo ao mesmo tempo. É possível ter um relacionamento maravilhoso com Deus. É possível ter um casamento maravilhoso. É possível ter uma família maravilhosa. É possível ter uma carreira maravilhosa. É possível ter um ministério maravilhoso.

E você pode ter todas essas coisas enquanto calça sapatos maravilhosos!

Sair-se bem em todas essas áreas ao mesmo tempo é um alvo ridiculamente impossível que definimos para nós mesmas, e cria imensa culpa e insatisfação quando ficamos aquém do maravilhoso em um ou mais aspectos. Além disso, não tenho certeza se acredito no punhado de mulheres que parecem ter realização em todas as áreas. Minha experiência indica que algo ou alguém em nossa vida paga um preço alto por nossa tentativa de ter todas as coisas ao mesmo tempo. Alguém ou algo é sacrificado ao longo do caminho. À luz dessa realidade, Efésios 5.15-16 é uma instrução fundamental: "Portanto, sejam cuidadosos em seu modo de vida. Não vivam como insensatos, mas como sábios. Aproveitem ao máximo todas as oportunidades nestes dias maus".

À primeira vista, pode parecer que esse versículo nos chama com urgência à ação ininterrupta e que deve aparecer em negrito, com letras maiúsculas e vários pontos de exclamação: **"Jamais perca uma oportunidade sequer — NUNCA — pois o universo está caminhando para o fim. Você precisa se mexer AGORA caso deseje realizar todos os itens da lista de coisas importantes para você e sua família!!!"**.

Essa não é a abordagem da mulher sábia. Ela não empurra a si mesma nem a sua família até o ponto de exaustão, extrapolando os limites de energia, tempo e força, sempre apressada para fazer mais coisas, para alcançar mais objetivos a caminho da realização total. Na verdade, essa é a antítese desses versículos.

A origem latina do termo *circunspecto*, traduzido com frequência para nossa língua por *cuidadoso*, refere-se àquele que "olha em volta, está atento e tem consciência das possíveis consequências". Outras traduções usam termos e expressões como andar com diligência, prudência, precisão e exatidão; com propósito, dignidade e correção. Em vez de levar a vida de modo completamente espontâneo, com pouca ou nenhuma consideração acerca das consequências e sem cautela, devemos *olhar* (viver com os olhos bem abertos) para as circunstâncias como são de fato e, a partir dessa avaliação precisa, devemos "[aproveitar] ao máximo todas as oportunidades nestes dias maus".

A frase "aproveitem ao máximo todas as oportunidades" também pode ser traduzida por "remindo o tempo" (RA). A maioria dos comentaristas concorda que a palavra "remir" nessa passagem não é uma referência a nossa salvação (redenção), mas uma instrução para "comprar de volta para si mesmos". E o termo grego usado aqui para "tempo" é traduzido, com frequência, por "oportunidade" ou "estação". Portanto, a ideia é tomar para si toda oportunidade/estação, isto é, ser sábia o suficiente para discernir quando aproveitar uma oportunidade e como usá-la em máximo benefício próprio e daquilo que é verdadeiramente importante.

Remimos o tempo porque os dias são "maus". São dias difíceis, em que o mundo ao redor precisa mais do que nunca ver os cristãos viverem de modo prudente e refletido, com propósito, como pessoas cientes das coisas importantes e que não se deixam levar por discussões ou ocupações passageiras.

De acordo com as Escrituras, agir de outro modo é viver como um insensato, um tolo ignorante e desajuizado, espiritualmente cego e inconsciente daquilo que é melhor de fato. O pressuposto aqui é o de que os insensatos perdem oportunidades valiosas, desperdiçam tempo precioso, que não pode ser trazido de volta, e deixam passar os momentos que não podem ser "recuperados nem prolongados".[2]

Gosto de uma paráfrase dessa passagem que diz:

> Portanto, tenham cuidado com seu modo de viver; prestem atenção em seus passos. Não corram de um lado para o outro como tolos e como o resto do mundo faz. Antes, andem como os sábios! Aproveitem ao máximo cada momento de fôlego de vida, pois estes são tempos maus.[3]

Cada fase tem oportunidades singulares, peculiares a este momento e presentes apenas nesta fase. Essas oportunidades também vêm acompanhadas de limitações, dois lados da mesma moeda. Eu poderia dar exemplos de implicações desse princípio em todas as áreas de sua vida, mas vejamos por ora como aproveitar ao máximo cada momento de fôlego de vida como mãe.

Não foi o que você planejou

Começamos por uma questão dolorida, mas não há como tratar da educação de filhos sem falar sobre o tempo de infertilidade. Algumas de vocês talvez ainda não tenham conseguido ter filhos, ou talvez essa porta tenha se fechado firmemente. O desejo não realizado de ser mãe traz consigo grande dor. Demorei anos e anos para engravidar de dois dos meus três filhos, portanto consigo me identificar, em pequena medida, com o anseio, a espera, as tentativas, a esperança e as lágrimas quando o teste de gravidez é negativo mês após mês interminável. No entanto, não sei como é não poder ter filhos biológicos, como é parar de comprar testes de gravidez porque nunca haverá um bebê em meu ventre. Desejo tecer meus comentários aqui com a máxima delicadeza e compaixão. Minhas irmãs queridas, em um tempo de limitação extrema, não há em última análise muitas opções: você pode escolher concentrar-se no sonho não realizado em sua vida ou, como muitos outros casais sem filhos, pode escolher aproveitar essa oportunidade para dedicar-se plenamente ao Senhor de formas que jamais seriam possíveis se você tivesse de cuidar de filhos e educá-los. O apóstolo Paulo se descreve em 1Coríntios 7 como um homem abençoado, com um ministério rico, embora fosse solteiro e não tivesse filho. Outras opções podem incluir adoção ou apadrinhamento afetivo. Talvez você conclua que ser mãe no sentido literal não faça parte dos planos de Deus para sua vida e canalize seus esforços com o intuito de tornar-se "mãe" espiritual de muitos outros em sua família mais ampla, vizinhança, local de trabalho ou igreja. O importante é lembrar-se de que toda fase da vida tem suas dores e toda fase tem suas alegrias.

Ah, meu bebê

A coisa que eu mais amo no mundo é o cheiro da cabeça de um recém-nascido. Se fosse possível embalar e vender esse aroma, eu compraria aos montes. Sei que parece esquisito (provavelmente é), mas não consigo me controlar. Adoro esse perfume almiscarado, que lembra o cheiro da terra! Todos em nossa igreja trazem seus bebês para que eu cheire a cabeça deles; é como um ritual para as mães que acabaram de ter filhos. É um aroma que só dura alguns dias antes de ser apagado pelo perfume de xampu, por isso é preciso aproveitá-lo enquanto está presente. Uma vez que vai embora, não volta nunca mais.

Esse é um tempo cheio de limitações. Há uma porção de coisas que não dá para fazer nesse momento. Tudo bem. Também há algumas compensações infinitamente preciosas.

Não passe por elas apressadamente. Desfrute cada momento de vida com seu bebê. Prometo que as fraldas sujas, a regurgitação, o sono bagunçado, a vontade de gritar por motivos incompreensíveis, a parafernália que você carrega só para ir ao supermercado e a ansiedade constante de que seu filho engolirá uma peça de brinquedo ou uma moeda passarão. Esse também é o tempo do doce aroma de recém-nascidos, de primeiros sorrisos que derretem seu coração, de mãozinhas confiantes que seguram sua mão e de braços pequeninos que envolvem seu pescoço. Essa fase chegará ao fim antes que você perceba, portanto não deixe que as impossibilidades sufoquem as possibilidades.

Tempo com os pequeninos

Lembro-me de imaginar que essa fase da vida duraria para sempre, e não de uma forma positiva. Quando seus filhos começam a andar, se você não está tirando o jornal ou o gato do vaso sanitário, está tirando seu filho de lá. A destruição e o caos que eles conseguem provocar no tempo que leva para você ir ao banheiro são inacreditáveis. Caso você tenha se esquecido de como é essa fase, siga uma jovem mãe no Instagram e veja o que ela publica diariamente. Você vai dar gargalhadas com o estrago que a criança é capaz de fazer em dez minutos. Sabe de uma coisa? Essa fase dura apenas alguns anos. Aproveite cada momento para abraçar seu garotinho que ainda vem sentar no seu colo sem precisar inventar uma desculpa. Ouça as primeiras palavras de sua filha. Receba com paciência e bom humor as perguntas de seu filho às quais você não tem como responder: "Por que o céu é azul, mãe?". Aproveite a oportunidade de ensinar um pouco de teologia para seu pequenino inocente. "Não sei por que o céu é azul, meu amor, mas Deus sabe. Ele fez o céu!" Sim, você está exausta com a energia interminável de seu filho e com as artes que ele apronta, mas terá tempo para dormir daqui alguns anos.

O início da idade escolar

Há um momento único no período que abrange os primeiros três anos e o início do ensino fundamental: o primeiro dia no jardim de infância. Minha garotinha não veste mais roupas de bebê; agora tem uniforme e uma lancheira de princesa da Disney e, pela primeira vez, entra corajosamente na escola *sem mim*. Seria melhor alguém arrancar meu coração, atirá-lo no chão e pisar nele. Com Matthew, foi ainda pior. Quando ele começou o jardim de infância, voltei para casa, deitei-me no sofá em posição fetal e chorei de soluçar. "Uma fase de minha vida chegou ao fim. Nunca mais terei bebês em casa. Nunca mais terei crianças pequenas. Nunca mais levarei um filho para seu primeiro dia de aula no jardim de infância. Arrependo-me de todas as vezes que reclamei das fraldas fedidas. Faria tudo de novo, Deus. Com certeza." Por fim, em meio ao acesso de choro, consegui articular uma oração de gratidão: "Obrigada, Deus, pelas alegrias; obrigada pelas provações. Por favor, inicie outra fase para mim, que seja tão preciosa quanto foi esta que agora se encerra. Ajude-me a enxergar o que essa nova fase trará".

Como você deve ter notado, sou melancólica e sentimental. Minha cunhada, Chaundel, deu uma festa dançante quando seu último filho começou o jardim de infância. Tinha chapéus de papel, gritos de alegria e apitos que ressoavam pela vizinhança inteira. Enquanto eu chorei, ela riu e deu gargalhadas o dia inteiro. Na verdade estou exagerando, mas nem todo mundo se desmancha em lágrimas quando uma fase chega ao fim. Nada de errado com isso também.

Para vocês que têm filhos em idade escolar, só quero dizer que mentiram para mim. Disseram que, quando meus filhos começassem a ir para a escola, eu teria horas e horas de liberdade para voltar a fazer o que quisesse. Mentira. Ter filhos no ensino fundamental significa trabalhos escolares dos quais você só será avisada dois dias antes da entrega, horas intermináveis de tarefa de casa, atividades esportivas depois das aulas, curso de balé, consultas com o dentista e ajuda para lidar com amizades e com o surgimento dos hormônios.

Você não tem muito tempo para fazer suas coisas, mas tem mais alguns anos para contar histórias na hora de dormir, colocá-los na cama e maravilhar-se à medida que a personalidade singular de cada um começar a brilhar. Aproveite esses anos ao máximo.

A tumultuada adolescência

A adolescência descortina um horizonte inteiramente novo de limitações e oportunidades. Os jovens se tornam inconsequentes, fazem coisas bobas e escolhas imaturas e, por vezes, tomam decisões que nos magoam lá no fundo. Crescem enquanto dormem e se transformam diante de nossos olhos. Até mesmo a criança mais fofa tem uma fase desajeitada, em que o rosto é grande demais para o corpo. O nariz cresce rápido demais, os dentes carecem desesperadamente de aparelho ortodôntico. Nessa fase, os filhos têm uma aparência esquisita e agem de forma esquisita. O melhor amigo é o telefone celular; são inseparáveis. Também começam a reescrever a história e dizem coisas como: "Mãe, lembra aquela vez que você fez isso e aquilo?". E você responde: "Não foi o que aconteceu!". Eles têm convicção de que você lhes fez algo terrível.

É fácil ver-se presa às responsabilidades de educar um ser humano decente que não faça besteira e termine o ensino médio, e que não consuma bebidas alcoólicas nem use drogas. Você pode focalizar as dificuldades de ter adolescentes ou pode concluir que é um privilégio observar crianças se tornarem homens e mulheres diante de seus olhos. Pode aprender, com graça, como parar de controlá-los e começar a instruí-los.

Nessa fase, os pais se veem em um estado de constante adaptação; nada permanece igual de um dia para o outro. No entanto, os pais sábios começam a aproveitar ao máximo cada momento, entendem como é precioso quando o garotinho, sempre magricelo, de repente têm ombros bem formados, quando a garotinha de corpo infantil atarracado começa a desenvolver seios e você sabe que ela está prestes a se tornar mulher. Não têm mais a aparência de crianças. Estão crescendo.

Adapte-se, adapte-se, adapte-se

A palavra-chave, portanto, é *adaptação*. Não importa em que fase da educação dos filhos você esteja, sua vida terá limitações. Não gostamos disso. Não gostamos de ouvir "não". Não gostamos que alguém nos diga o que podemos ou não fazer ou o que devemos ou não fazer. Mas, se você entender que cada fase da vida tem suas limitações, não resistirá tanto quando se vir diante delas. Limitações não são, necessariamente, algo negativo. Fazem parte das fases da vida que Deus nos deu.

Limitações fazem parte das fases da vida que Deus nos deu.

No ministério, a fase da vida em que você se encontra *deve* influenciar diretamente seu nível de envolvimento. As limitações de bebês e crianças pequenas que precisam de uma rotina, de crianças no ensino fundamental que precisam que os pais as coloquem na cama e orem com elas, e dos adolescentes que são como ostras e precisam que você esteja presente quando resolverem abrir o coração devem definir os limites de seu serviço. Talvez seja hora de deixar que uma mulher em outro momento de vida faça o trabalho pesado de determinado ministério. Seja você mesma e deixe que ela seja ela mesma.

Eu me encaixo perfeitamente no grupo demográfico de mulher cristã mais madura. Meus dias de criar filhos passaram, e estou caminhando para o fim da meia-idade. Nessa fase, Deus me deu responsabilidades para com as mulheres mais jovens que estão percorrendo trechos que eu já percorri na jornada. Se você é uma "mulher mais madura", também é responsável por transmitir à geração seguinte de mulheres cristãs a sabedoria que acumulou. Uma das limitações dessa fase é saber, e aceitar, que nossos filhos simplesmente não precisam mais de nós como precisaram durante décadas. Algumas mulheres não sabem muito bem o que fazer e se sentem perdidas por um tempo. Infelizmente, muitas nessa fase soltam um longo suspiro de alívio e imaginam que finalmente podem se aposentar de seu trabalho no berçário da igreja ou como professoras de escola dominical. Muitas se ocupam com projetos e interesses pessoais de todo tipo e, com frequência, justificam a desatenção a seu chamado para cuidar da geração seguinte de mulheres ao dizer para si mesmas que agora finalmente é *seu* momento.

Certa vez, ouvi Elizabeth Elliot dizer: "O mundo anseia por mães". Concordo plenamente. Mães *maduras*, e não *repressoras.* Ninguém anseia ser reprimido e silenciado. A maioria das mulheres jovens com as quais converso, porém, deseja que mulheres que já percorreram alguns quilômetros a mais na jornada compartilhem suas experiências com elas. Há uma necessidade premente de mentoras dispostas a caminhar com solteiras, casadas sem filhos, casadas e com filhos pequenos, e aquelas que estão se esforçando ao máximo para entender seus adolescentes. A maioria de nós, mulheres mais maduras, subestima a dádiva de amor e esperança que oferecemos às mais jovens quando as incentivamos a permanecer firmes, quando dizemos que são capazes. Revigoramos uma mulher solteira quando aplaudimos o modo como ela cultiva seus dons e talentos sem deixarmos implícito que a vida começa quando ela consegue um marido. Revigoramos uma jovem mãe quando escrevemos para ela um bilhete com palavras de ânimo e lhe dizemos que sobreviverá, que não terá de pescar o gato de dentro do vaso sanitário para sempre, que certamente não terá de trocar fraldas quando tiver oitenta e poucos anos, que há momentos de alívio em meio às lições de casa e trabalhos escolares. Será que temos noção da beleza da bênção que oferecemos às mulheres mais jovens quando compartilhamos nossa jornada espiritual, participamos com elas de estudos bíblicos, lhes contamos o que aprendemos em nossa caminhada com Deus, o que aprendemos como esposa e como mãe em nossos anos de relacionamento com o Senhor?

Quando meus filhos estavam na adolescência, eu participava de um estudo bíblico semanal com doze mães. Metade delas era pelo menos vinte anos mais velha que eu. Duas eram viúvas na casa dos noventa anos. As outras mulheres mais jovens e eu suspirávamos, lamentávamos e nos debulhávamos em lágrimas por causa de nossos filhos. Falávamos dos medos, das lutas, ansiedades, inadequações e dúvidas. As queridas Jeannette Hulin e Jan Bealer ouviam com compaixão nossas tristezas e histórias de sofrimento. Então, sem falta, respondiam com palavras de confiança inabalável em Deus e em seu caráter, falavam com base em uma fé que havia se tornado firme e constante ao longo das décadas em que aprenderam a conhecê-lo e amá-lo. Diziam: "Ah, querida, não se preocupe. Deus é bom; ele não abandonará você nem seus filhos. Eu também passei por algumas fases difíceis, mas pode confiar no Senhor, não importa o que aconteça".

Palavras simples, ditas por mulheres que havia muito tinham passado da flor da idade em nossa cultura que tanto exalta a juventude, mas palavras que sustentaram a mim e ao restante do grupo ao longo daqueles anos. Bem diante de nossos olhos havia duas mulheres de carne e osso cuja confiança experiente em Deus conferia vida à Palavra. Desdenhavam a admiração que expressávamos por elas, não por falsa humildade, mas porque simplesmente não acreditavam que suas palavras faziam alguma diferença para nós. Mas, queridas Jeannette e Jan, que nos veem das glórias do céu, saibam que não me esqueci de suas palavras de ânimo e de fé nem de sua vida de compromisso com Jesus. Vocês me deram forças e me ajudaram a crer que eu podia ser uma boa mãe.

É isso que acontece quando cuidamos ternamente das gerações mais novas. Elas não precisam de especialistas e celebridades. Precisam de mulheres de carne e osso que mostrem como Deus é real.

Todas as fases têm limitações *e* oportunidades. A mulher sábia deixa de lutar contra as limitações e procura conscientemente maneiras de aproveitar as oportunidades de cada um dos momentos de fôlego de vida que lhe é concedido.

Aproveite os momentos

Temos a infeliz tendência de concentrar nossa atenção em qualquer época, menos no presente. Pode acontecer de sentirmos tremenda ansiedade ao olhar para o futuro e de sermos consumidas pelas conjecturas do que faríamos nesta ou naquela situação.

Para outros o futuro não produz tanta ansiedade quanto o passado. Reviver a época em que criamos os filhos talvez cause tristeza por oportunidades perdidas, coisas que não fizemos tão bem quanto desejávamos ou fracassos inegáveis. Muitas gostariam de voltar atrás e começar de novo. Às vezes, simplesmente ficamos nostálgicas. Embora faça quinze anos que meus filhos saíram de casa, há momentos em que gostaria de voltar a ouvir a voz alta de meus adolescentes e de seus amigos, rindo e jogando. Quero fazer bolo com cobertura de chocolate para eles e ficar na cozinha, ouvindo-os contar suas esperanças, sonhos e lutas. Mas esses dias passaram, e Rick e eu "sentamos tranquilamente junto ao fogo e ouvimos o riso nas paredes".[4]

> Este *é o momento em que Deus está presente.*

Este é o momento pelo qual você e eu somos responsáveis. *Este* é o momento em que Deus está presente. Deus se revela para nós nas limitações *e* nas oportunidades de cada fase. Jim Elliot disse: "Viva plenamente cada situação que você crê ser a vontade de Deus".[5]

Se você esperar por perfeição, perderá momentos demais. Sabe o que isso significa? Que você deve ir ao jogo de futebol de seu filho ou neto mesmo que não goste de futebol e que não deve se importar de ser ridícula e torcer com toda empolgação. Deve ir ao recital de balé e aplaudir sua princesinha mesmo que ela tenha esquecido metade de tudo o que aprendeu nas aulas que você pagou com tanto sacrifício. Significa que você deve tocar no ombro de seu marido enquanto ele está com os olhos colados na tela do computador, esperar até que ele olhe para você e, em vez de reclamar do tempo que ele passa na frente do computador, dizer: "Acho que ainda não lhe falei hoje que amo você". Significa que você deve gravar seu programa de TV predileto enquanto se aconchega com seus filhos e lê o livro que vocês já leram juntos todos os dias do último mês. Significa que você deve telefonar para uma amiga e dizer: "Estou soterrada de roupas para lavar, mas só queria avisar que estou com saudades! Vamos tomar um café juntas". Significa que você deve sair para caminhar depois do trabalho mesmo que seu corpo esteja suplicando por um cochilo, pois o pôr do sol está deslumbrante e você entende que *este* é o momento para apreciar.

Ouça o que estou dizendo. O passado não lhe pertence mais. O futuro não lhe pertence. Você só tem este momento, e ele é uma dádiva de Deus. Cada fase é uma dádiva, mesmo que venha acompanhada de sofrimento. Se começarmos cada dia cientes de que somos chamadas a viver de modo cauteloso, consciente e sábio, com os olhos bem abertos para a oportunidade deste dia, chegaremos mais perto da vida que Deus planejou para nós.

Que busquemos com entusiasmo as oportunidades escondidas em cada fase, as alegrias peculiares de cada uma. Que sejamos mulheres de entendimento extraordinário, que sabem amar cada momento cheio do fôlego de vida concedido a nós.

9
Proteja sua vida pessoal

Tudo o que enfraquece sua razão, prejudica a delicadeza de sua consciência, obscurece sua percepção de Deus ou remove o gosto pelas coisas espirituais é, portanto, pecado para você, por mais inocente que seja de per si.

SUSANNAH WESLEY,
esposa de Samuel Wesley

Uma vez que Rick e eu crescemos em famílias de pastor, uma atmosfera de alta visibilidade, pensei que soubesse todo o necessário a respeito da vida sob os holofotes. Tinha plena consciência de que os membros da igreja e da comunidade nos observariam e a nossos filhos. Sabia que as pessoas repárariam no que vestíamos, no tipo de carro que tínhamos, no tamanho de nossa casa, no bairro onde morávamos, na quantidade de maquiagem que eu usava, na escola que nossos filhos frequentavam, no comportamento deles, no interesse que eu parecia demonstrar durante os sermões de Rick e se eu ria de suas piadas. Imaginei que nossa vida seria bastante parecida com a de nossos pais e me sentia preparada para lidar com quaisquer questões de privacidade que surgissem no ministério.

Não sabia, porém, que Saddleback se tornaria uma igreja enorme em uma região relativamente pequena (10% da população do vale Saddleback frequenta nossa igreja). Isso significa que encontramos pessoas conhecidas toda vez que saímos porta afora. Essa realidade exigiu adaptação considerável, pois meu pai havia pastoreado igrejas pequenas em San Diego, e nunca encontrávamos membros da igreja quando saíamos. Não sabia que Rick receberia tanta atenção depois de escrever *Uma vida com propósito*[1] e que, um dia, alguém reviraria nosso lixo e usaria uma câmera com lente teleobjetiva no vale atrás de nossa casa para tentar nos ver mais de perto. Provavelmente foi bom eu não fazer ideia do que viria pela frente quando começamos a Igreja Saddleback com sete pessoas em nosso apartamento em 1980.

Eu tinha a opção de ficar exasperada com a perda de privacidade e concentrar-me nos aspectos negativos de sermos figuras públicas ou de decidir que viveríamos com serenidade e com integridade inquestionável. Você sabe aonde quero chegar. Aprendi que há duas maneiras de manter a vida pessoal quando se é uma figura pública, e creio que se aplicam a qualquer um que viva sob o brilho ofuscante dos holofotes em uma família de pastor.

Com a graça de Deus, aceite a perda de privacidade

Decidi muito tempo atrás que aceitaria a perda de privacidade com graça. Aceitei que nossa família é objeto de interesse e, até certo ponto, somos alvos de críticas quando nos expomos. Escolhi desconsiderar os pensamentos paranoicos ("essas pessoas estão nos vigiando e nos seguindo") e reformular a situação em minha mente: "São apenas pessoas que nos amam e que amam nossa igreja, e para elas nossa família é objeto de interesse". Como eu disse, você pode andar por aí de cara amarrada e ressentir-se do interesse de outros ou pode aprender a aceitar com graça uma medida menor de privacidade do que a maioria das famílias desfruta. A propósito, seus filhos seguirão seu exemplo. Se você se exasperar porque alguém a parou no *shopping*, seus filhos também ficarão exasperados. Se você der exemplo de graça e bondade, é mais provável que eles também se mostrem afáveis.

Um de meus recursos para lidar com essa questão é o senso de humor. Quando consigo rir de algo, não fico irritada. Adoraria trocar histórias com você sobre como pessoas de fora invadiram sua vida pessoal. Aposto como seus relatos ganhariam dos meus. Faz quase quatro décadas que vivemos nesta região, e estes são alguns de meus episódios prediletos:

- A vez em que estava terrivelmente atrasada para levar os filhos para a escola e entrei no carro de pijama, chinelo e sem sutiã. E fiquei sem gasolina no meio da rodovia. Se não me falha a memória, o guarda que parou para me ajudar frequentava a Saddleback.
- A vez em que estava me recuperando da anestesia depois de uma cirurgia e o enfermeiro que me ajudou com a comadre disse: "Adoro ver você cantar no coral". Faltaram-me palavras coerentes para dizer a ele que não canto no coral; foi suficiente saber que ele pensava que me via cantando e que, dali para a frente, me imaginaria usando uma comadre.
- A vez em que a enfermeira da clínica de colonoscopia me disse, no momento em que a anestesia começou a fazer efeito, que frequentava a Saddleback. Antes de eu apagar completamente, tive cinco segundos desejando que tivesse me preparado corretamente para o exame e

que a enfermeira tivesse terminado o horário de trabalho dela quando eu despertasse. Quando acordei, estava grogue demais para importar com o quanto da minha vida pessoal ela havia visto.

- A vez em que estávamos na Inglaterra visitando o Castelo de Warwick com outros turistas e um homem viu Rick e gritou do outro lado da sala de jantar imensa: "É você, pastor Rick?". Às vezes fico de mau humor e penso com meus botões: "Não, é Mick, o gêmeo perverso do Rick".
- A vez em que estava passando um pote de sorvete pelo caixa no supermercado e uma mulher atrás de mim disse em voz alta, com grande desprazer: "Acho que o pastor Rick não devia comer essas coisas". Tento ajudá-lo a não espalhar para outros suas tentativas de perder peso para que eu não tenha que lidar com críticas de membros da igreja no supermercado.
- A vez em que três senhoras idosas se reuniram em volta de mim depois do culto e disseram: "Adoramos reparar no que você veste a cada semana". Uma pontinha de malcriação dentro de mim quis fazer um comentário sarcástico sobre roupas de baixo, mas fiquei de boca fechada e apenas sorri.
- A vez em que um rapaz no meio de um surto psicótico batia incessantemente em nossa porta e colocava o olho na câmera de segurança da varanda de modo que eu só conseguia ver um globo ocular gigante na tela dentro da casa, enquanto ele repetia em tom urgente: "Diga ao pastor Rick que eu recebi a mensagem dele e estou pronto para participar da luta!". Coitado. Eu não queria chamar a polícia, mas ele estava preparado para acampar

em nossa varanda por tempo indefinido, esperando participar da "luta" de Rick (sabe-se lá o que era).

Eu estava especialmente despreparada para os milhares de pequenos encontros ao longo dos anos, aquelas vezes em que pessoas vieram até nossa mesa no restaurante e disseram: "Não quero atrapalhar seu tempo em família" e, depois, fizeram exatamente isso. Ou os milhões de vezes em que pessoas abordaram Rick numa loja e disseram: "Posso conversar com você só por um instante. Gostaria de saber sua opinião sobre...". Rick diz que a essa altura não lhe resta mais opinião alguma, pois já distribuiu todas as opiniões que tinha. Sempre procuramos ser afáveis, mas houve momentos em que simplesmente queríamos ser invisíveis e comprar o saco de adubo que estávamos procurando.

É para rir, ou chorar, do absurdo disso tudo. Afinal, quem imaginou que uma família de *pastor* seria motivo de tanto alvoroço? O riso alivia a tensão de estar à vista do público e pode criar cumplicidade entre os membros da família, ou seja, suas experiências conjuntas como objeto de interesse podem se tornar lendárias, histórias para relembrar ao longo dos anos. Temos algumas piadas de família sobre interações com o público e rimos até gargalhar sempre que esses episódios são mencionados. Tornaram-se parte das coisas que nos unem.

Edith Schaeffer, cofundadora da organização L'Abri, apresenta uma definição poética de família em *What Is a Family?* [O que é uma família?]:

> Uma família é uma porta com dobradiças e tranca. As dobradiças devem estar bem lubrificadas para que a porta se movimente em certas ocasiões, mas a tranca deve ser firme o suficiente

> para mostrar que a família precisar ficar a sós parte do tempo, simplesmente para ser família. A fim de que a vida em família seja verdadeiramente compartilhada, é preciso que haja algo a compartilhar.[2]

Lembrem-se, como família, de que vocês são objeto de interesse, e permitam que a porta se abra ocasionalmente. Quando forem a lugares públicos, as pessoas os verão e desejarão conversar. No entanto, vocês têm direito a uma vida pessoal, e há muito mais ocasiões em que a porta precisa ser fechada a fim de protegê-los dos olhares externos e lhes dar privacidade para serem uma família.

Nossos netos estão crescendo e começando a perceber que sua família é diferente, e cabe a nossos filhos e seus cônjuges prepará-los para a vida sob os holofotes. Sem querer, o vovô pode criar grande rebuliço quando comparece a eventos da escola deles, e a notícia de sua presença se espalha. Gosto de ver como nossos netos mais velhos não se abalam quando adultos ou mesmo crianças querem conversar com Rick e até pedem para tirar fotos. Em geral, não se importam com a atenção que seus avós ou pais recebem. Mas não vou mentir. Não é fácil, e nem sempre eles se sentem à vontade. Muitas vezes, temos de fazer um esforço para não ficarem chateados ou irritados com os olhares constantemente voltados para nós. Há momentos em que nossos pequenos querem ser apenas crianças, e não os netos de Rick Warren. Entre outras coisas, devemos dar exemplo à geração seguinte de como aceitar, com a graça de Deus, a perda de privacidade e de como depender inteiramente dele para ter bondade e paciência em meio às dificuldades.

Sei que as pessoas me observam. Aceitei isso. Uma vez que fiz as pazes com essa realidade, decidi aproveitá-la para despertar interesse para o reino de Deus e usar minha visibilidade como inspiração e influência para o bem. Quando as pessoas olharem para mim, quero que sejam capazes de dizer: "Ah, é assim que amamos Jesus em momentos difíceis". Ou "É assim que marido e esposa trabalham como equipe no ministério". Ou "É assim que amamos os filhos de modo incondicional". Claro que é um equilíbrio delicado. Quero viver de forma autêntica, fora da caixa de hipocrisia ou de tentativas de agradar os outros; ao mesmo tempo, quero ter consciência de que posso ser exemplo da fé que professo em minhas interações diárias com o mundo que me observa. Pensar em maneiras de usar minha visibilidade para o bem me ajuda nos dias em que só quero buscar um remédio na farmácia sem ter de estar à disposição de ninguém.

Provavelmente haverá momentos de sua vida em que estar sob os olhares de outros será especialmente penoso. Talvez a dificuldade se deva a um nível mais elevado de estresse que o habitual, algum problema pelo qual seus filhos estejam passando, conflitos na igreja ou questões de saúde. Há inúmeros motivos para precisar de privacidade. Ao longo da maior parte de nosso ministério na Saddleback, sentei-me perto do palco, na primeira fila de um dos lados, pois Rick gosta de me ver quando está pregando. Talvez seja para que ele possa pedir perdão de imediato ao dizer algo que desaprovo, mas ele me garante que é porque minha presença lhe dá ânimo. De acordo com ele, quando nossos olhares se cruzam, ele se sente fortalecido nos dias em que está mais cansado. Quando Matthew faleceu, porém, era um suplício para mim aparecer em público. Sabia que, em algum momento, reafirmaria o compromisso de usar minha visibilidade para o reino de Deus, mas ainda levaria um bom tempo. Era insuportável saber que estava sendo observada e avaliada. Passei quatro meses sem ir à igreja. Saía de casa só para ver minha família ou ir ao cemitério. Quando voltei para a igreja, comecei a frequentar o mesmo culto que meus filhos e netos a fim de fazer parte de um grupo em vez de sentar-me sozinha na fileira da frente. Esperava até o culto começar e, então, discretamente, sentava-me numa das fileiras dos fundos, certificando-me de estar cercada de pessoas seguras: familiares, amigos ou membros do pequeno grupo. Nos dias em que tinha dificuldade de ficar em um lugar com muito estímulo sensorial, simplesmente ia embora. De qualquer modo, geralmente saía antes do último amém para não precisar ter conversas superficiais com desconhecidos, ou mesmo com conhecidos; era demais para mim.

Levou um ano e meio até eu me sentir preparada para voltar a sentar na primeira fileira — e, se tivesse precisado de mais tempo, teria esperado mais. Não me senti, de maneira alguma, culpada por precisar de mais privacidade durante os primeiros meses de luto. Ninguém poderia ter me obrigado a agir de forma diferente. Quando *eu* percebi que estava pronta, e não quando os membros da igreja queriam me ver em meu lugar habitual, resolvi tentar. Minha cunhada Chaundel e minha querida amiga Joy me acompanharam. Foi muito bom ter esperado. Agora, quando a letra de um hino, a ligação emocional com um cântico que amo de longa data, ou algum motivo desconhecido me faz chorar, deixo as lágrimas correrem. Em público. Sentada na primeira fileira. Às vezes, sozinha. É saudável entristecer-se e vivenciar o luto em comunidade e expressar, sem qualquer constrangimento, pesar

Revelamos Deus por meio de nossa vida pessoal e pública.

e esperança. Os braços erguidos em adoração, o corpo se movendo, as lágrimas correndo, por vezes riso e sorrisos que nascem de louvar Jesus — essas ações revelam para quem estiver observando aquilo em que creio: Deus é bom, e confio nele.

Como famílias de pastor, não somos apenas objeto de interesse. Somos lições práticas e vivas a respeito de Deus para a igreja, a vizinhança e a família mais ampla que nos observam. Revelamos Deus por meio de nossa vida pessoal e pública.

Busque uma vida integrada

Você tem direito a uma vida pessoal. Não tem direito, porém, a pecados secretos. Infelizmente, todas nós já vimos o que acontece quando vêm à tona as transgressões secretas de cristãos conhecidos, que pregavam energicamente contra o pecado.

Depois dos primeiros anos em que escondemos nossas fraquezas, Rick e eu decidimos investir na integridade, de modo que nossa vida pública e nossa vida pessoal fossem o mais coerentes possível. Sabemos que nunca haverá uma correspondência perfeita entre as duas, pois nem sempre acertaremos; estamos na terra, não no céu! Nossa intenção, porém, é ser no âmbito privado as mesmas pessoas que somos em público.

Muitas vezes, na vida de quem exerce o ministério, surge uma brecha entre o que é dito e vivido em público e o que é dito e vivido em particular. Talvez você e seu marido estejam enfrentando conflitos no casamento e não saibam como mudar as formas problemáticas de se relacionar. Talvez um de vocês esteja consumindo bebidas alcoólicas em excesso ou tenha se viciado em analgésicos fortes para lidar com a tensão e as pressões diárias. Talvez você suspeite que seu marido esteja envolvido com uma mulher da igreja, mas ele negue e, nesse meio-tempo, seu casamento vai por água abaixo. Seu filho talvez tenha problemas de saúde física ou mental, dificuldades na escola, problemas com drogas, bebida, sexo ou pornografia. Talvez suas finanças, por falta de dinheiro ou má administração dele, sejam motivo de noites insones. Talvez abuso emocional ou físico esteja acontecendo entre você e seu marido ou entre você e um de seus filhos. Você não conta para ninguém, pois imagina que as coisas vão melhorar, que o comportamento vai cessar, ou que você vai conseguir encontrar uma solução, mas a situação só está piorando. Ninguém decide ter uma vida dupla, mas é mais fácil do que você imagina acordar um dia e perceber, para seu espanto, que há um imenso abismo entre sua vida pessoal e sua vida pública.

Se seu objetivo é integrar sua vida pessoal e sua vida pública, para começar você precisará contar para alguém o que tem acontecido atrás das portas fechadas. Revelamos nossas imperfeições, nossas fraquezas, nossos fracassos e o lixo que acumulamos para que essa integração se torne possível. Ninguém jamais o fará com perfeição. Todas nós lidamos com questões interiores. Existe uma diferença, porém, entre uma fase de lutas e hábitos permanentes que se tornam um modo de vida. Quando aquilo que você apresenta ao mundo é totalmente diferente daquilo que é verdadeiro, quando a brecha entre a vida pública e a vida pessoal aumenta em vez de diminuir, é hora de apertar a tecla de pausa no ministério e dizer: "Preciso de ajuda".

Se um de vocês está envolvido emocional e/ou sexualmente com outra pessoa, é preciso tomar medidas radicais para colocar a vida de volta nos trilhos. O primeiro passo para voltar a um estado de inteireza e saúde é estar dispostos a fazer todo o necessário para restaurar o que foi fragmentado entre vocês.

Será impossível vocês consertarem as coisas sozinhos; aliás, nem devem tentar fazê-lo. Nossa busca por integridade e integração da vida pessoal e da vida pública só pode acontecer dentro de uma comunidade segura, com outros que também estão comprometidos com a integridade e a integração.

Raramente existe uma solução única para nossos problemas complexos; portanto, busque ajuda em todas as direções: procure orientação espiritual de cristãos de confiança; faça um *checkup* completo com seu médico; confesse seus problemas a uma amiga chegada ou a um membro da família; participe de um pequeno grupo ou de um grupo de apoio para aqueles que atuam no ministério; dependa profundamente de seu relacionamento com Jesus; avalie em que aspectos você tem descuidado de seu corpo, alma e espírito; receba aconselhamento. Para muitos, também pode ser proveitoso participar de um grupo como o Celebrando a Recuperação, um programa cristão de doze passos iniciado na Igreja Saddleback em 1991 e usado por mais de dois milhões de cristãos ao redor do mundo, não apenas para alcoolismo e vício em drogas, mas para qualquer mágoa, vício ou compulsão que esteja afetando a pessoa de forma negativa. (Visite o *site* <celebrandoarecuperacao.org.br> para obter mais informações.)

Essa conversa toda enche algumas de vocês de medo, e é exatamente nesse ponto que as coisas se complicam. Você continua a remar a toda velocidade para evitar que o barco afunde, para sustentar o casamento ou os filhos, na esperança de que tem conseguido esconder os problemas para que ninguém repare na discrepância entre sua vida particular e sua vida pública. É exaustivo, não? Até quando você imagina que será capaz de encobrir as dificuldades? Uma pergunta melhor é: não gostaria de ter algum alívio?

Preciso lhe dizer que, em algum momento, aquilo que você está tentando esconder virá à tona. As mentiras que você conta para proteger a si mesma e sua família serão reveladas; mais cedo ou mais tarde, a verdade aparecerá. Pode demorar, mas, em algum momento, tudo será descoberto. Vivi com segredos demais e posso lhe dizer por experiência que a expressão "ser corroída por dentro" é exata. No programa Celebrando a Recuperação, dizemos que quanto mais segredos você guarda, mais doente fica. Segredos, pecados não confessados e lutas que você procura esconder podem resultar em enfermidades físicas. Podem corroer a saúde emocional e mental. E, sem dúvida, diminuem sua intimidade com Deus. Por favor, não espere mais para procurar ajuda. A questão não é se você tem uma família completamente saudável, intacta e funcional, mas o que você faz com as tensões, os conflitos e as disfunções. Esconder, ignorar, fingir que o problema não existe, negá-lo ou culpar o marido, os filhos ou os membros da igreja por sua infelicidade não é a solução. Procurar ajuda é a solução. Quando você atua no ministério, procurar ajuda é assustador, pois há muita coisa em jogo, mas precisar de ajuda externa não significa que você é esquisita ou é um caso perdido. Você não está só.

Até quando você imagina que será capaz de encobrir as dificuldades? Uma pergunta melhor é: não gostaria de ter algum alívio?

O modelo de integridade de Paulo

Se você deseja estudar um modelo de vida autêntica no ministério, 2Coríntios é o livro ideal da Bíblia. Procuro lê-lo pelo menos uma vez por ano, pois me inspira a continuar me esforçando para viver com integridade. Consideremos alguns dos versículos principais e como, a meu ver, devemos aplicá-los.

1. Meu objetivo será ter uma consciência limpa, buscando uma vida de santidade, integridade e sinceridade.

> Podemos dizer com certeza e com a consciência limpa que temos vivido em santidade e sinceridade dadas por Deus. Dependemos da graça divina, e não da sabedoria humana. É dessa forma que nos temos conduzido diante do mundo e, especialmente, em relação a vocês.
>
> 2Coríntios 1.12

Paulo deixou bem claro: seu objetivo era honrar o Senhor pelo modo como vivia.

2. Tenho consciência de que estou diante de Deus e, portanto, falarei com sinceridade e autenticidade.

> Não somos como muitos que fazem da palavra de Deus um artigo de comércio. Pregamos a palavra de Deus com sinceridade e com a autoridade de Cristo, sabendo que Deus nos observa.
>
> 2Coríntios 2.17

Você está diante de Deus, e não há como enganá-lo. Pode enganar seu marido, seus filhos, seu pequeno grupo e as pessoas em seu ministério. É verdade que às vezes nos saímos bem nesse papel de enganar os outros, mas não temos como enrolar Deus. Ele sabe de tudo. Considerando que ele vê todas as coisas, precisamos falar com sinceridade e autenticidade.

3. Eu me lembrarei de que o ministério é um privilégio sagrado e me livrarei de pecados secretos e vergonhosos.

> Portanto, visto que Deus, em sua misericórdia, nos deu a tarefa de ministrar nesse novo sistema, nunca desistimos. Rejeitamos todos os atos vergonhosos e métodos dissimulados. Não procuramos enganar ninguém nem distorcemos a palavra de Deus. Em vez disso, dizemos a verdade diante de Deus, e todos que são honestos sabem disso.
>
> 2Coríntios 4.1-2

Nenhuma de nós merece exercer o ministério. Nenhuma de nós sequer merece ser cristã. É verdadeiramente pela graça de Deus que cremos em Cristo e que ele nos aceitou como parte de sua família. Você não está no ministério porque é uma pessoa extraordinária, sem a qual o mundo não poderia existir. Você está no ministério pela graça de Deus; ele escolheu permitir que você desempenhasse essa função. Como reconhecimento desse privilégio e dessa honra concedida por Deus, precisamos renunciar a todas as condutas secretas e vergonhosas e viver com integridade.

4. Farei todo esforço para que minha vida pessoal corresponda a minha vida pública, sem fingir e sem esconder coisa alguma.

> Assim, conhecendo o temor ao Senhor, procuramos persuadir outros. Deus sabe que somos sinceros, e espero que vocês também o saibam.
>
> 2Coríntios 5.11

Paulo afirma que não recorre a propaganda enganosa. É como se ele dissesse: "Dentro do que é humanamente possível, há o máximo de correspondência entre minha vida pública e minha vida pessoal". Às vezes alguém pergunta: "Como é o Rick em sua vida pessoal?". Creio que (para o bem ou para o mal) ele é exatamente o mesmo no âmbito privado e em público, mas em grau mais elevado! Ele é um pateta. É engraçado. É sábio. É brilhante. É simples. É quem ele é. Não finge ser cordial e afetuoso em público e depois se mostra frio quando está longe dos holofotes. Nunca houve uma brecha entre o homem privado e o público. Paulo está dizendo: "Aquilo que somos é claramente visível para todos".

5. Eu sempre me lembrarei de como é fácil desacreditar o ministério com meu comportamento e meu estilo de vida.

> Vivemos de forma que ninguém tropece por nossa causa, nem tenha motivo para criticar nosso ministério.
>
> 2Coríntios 6.3

Paulo diz que nosso comportamento pode ofender as pessoas e lhes dar motivo para desacreditar o ministério. Nosso comportamento pode ser, de fato, obstáculo ou pedra de tropeço para quem vem a Cristo. Paulo parece dizer: "Eu sei como as coisas são. Não precisa acontecer muita coisa para desacreditar Deus e o ministério". Os versículos 4-10 do capítulo 6 mostram em detalhes o esforço enorme que ele dedicava a fazer exatamente o contrário; de todas as maneiras, procurava facilitar o acesso das pessoas a Cristo, sempre levando em conta seu comportamento e suas reações a dificuldades. De acordo com Paulo, quer sejamos espancados, aprisionados, criticados ou passemos fome, devemos mostrar que somos verdadeiros servos de Deus por meio de nossa integridade, pureza, honestidade e autenticidade de vida.

Uma das coisas mais tristes de estar no ministério há mais de quarenta anos é ver os estragos que aconteceram na vida de conhecidos da faculdade e do seminário. São pessoas que amavam Jesus, tinham entusiasmo e um chamado para o ministério e, no entanto, cometeram uma série de erros que levaram a algum tipo de fracasso moral. Na maioria das vezes, Satanás coloca armadilhas em uma destas três áreas: sexo, dinheiro ou poder.

Rick tem um arquivo de "advertências". Eu o chamo de "arquivo para me matar de medo". Quando ouve falar de conhecidos nossos ou de pastores famosos que deixaram o ministério porque falharam em uma dessas três áreas, ele os acrescenta a seu arquivo. Lemos o arquivo juntos com frequência, pois entendemos que o ministério pode ser facilmente desacreditado e não queremos ser pedra de tropeço no caminho de ninguém que esteja buscando a Deus. Quem é prejudicado quando pastores não vivem à altura dos padrões de integridade? O mundo ao redor zomba de nós, da igreja e de Deus, mas Deus é o mais alvejado por causa de nossa insensatez. É o testemunho dele que é mais afetado quando nosso ministério fracassa. Não posso ser responsável por isso. Minha vida será autêntica, e viverei com integridade.

Talvez pareça excessivamente dramático, mas vem do mais profundo de minha alma: se algum dia houver uma brecha enorme entre minha vida particular e minha vida pública, espero sair de cena, pois não quero, jamais, prejudicar o nome de Jesus Cristo.

6. Eu me livrarei de tudo o que contamina meu corpo ou meu espírito.

> Amados, visto que temos essas promessas, purifiquemo-nos de tudo que contamina o corpo ou o espírito, tornando-nos cada vez mais santos porque tememos a Deus.
>
> 2Coríntios 7.1

Paulo reconhece que alguns pecados contaminam nosso corpo. Alguns pecados contaminam nosso espírito. Declara que se manterá afastado de qualquer coisa que o torne impuro.

7. Tudo em minha vida, inclusive minhas finanças, está em ordem. Viverei com transparência e trabalharei com afinco para fazer o que é correto aos olhos de Deus e das pessoas.

> Ele foi nomeado pelas igrejas para nos acompanhar quando levarmos a oferta, um serviço que visa glorificar o Senhor e mostrar nossa disposição de ajudar. Com isso, queremos evitar qualquer crítica à nossa maneira de administrar essa oferta generosa. Tomamos o cuidado de agir honradamente não só aos olhos do Senhor, mas também diante das pessoas.
>
> 2Coríntios 8.19-21

Como você sabe, as finanças são uma das três áreas em que pastores costumam tropeçar. Pelo visto, sempre foi o caso, pois Paulo garantiu aos coríntios que ele e seus colaboradores tomariam todo o cuidado com a oferta que lhes havia sido confiada. Minha impressão é a de que foram muito além do que seria considerado apropriado no manejo correto de dinheiro, desdobrando-se para evitar até mesmo a menor insinuação de impropriedade que poderia criar suspeitas. Ah, se mais pastores tivessem a mesma cautela que Paulo! É impossível subestimar a importância de não tocar em dinheiro. Saiba para onde os recursos vão e quem é responsável por eles, mas não os maneje pessoalmente. Quantas vezes você já ouviu falar de pastores que "tomaram emprestado" dinheiro da conta bancária da igreja com a intenção de devolvê-lo antes que alguém notasse e acabaram descobertos? Ou, o que é igualmente triste, pastores que pegam o dinheiro, sem intenção de devolvê-lo, para adquirir bens que eles não têm condições de comprar? Os pecados dos pastores de toda parte prejudicam todos nós, mas, no final, o que mais sofre é a reputação de Deus.

É impossível subestimar a importância de não tocar em dinheiro.

Duas advertências

Se você se pegar olhando com desprezo para aqueles que caíram e pensar: "Eu jamais faria uma coisa dessas", por favor, considere o seguinte.

Primeiro, ao se iludir a respeito da profundidade de sua depravação, você está agitando para o inimigo uma bandeira vermelha que diz: "Venha me pegar". Não gostamos de reconhecer, mas a verdade é que, havendo circunstâncias oportunas, qualquer um pode cometer *qualquer* pecado. Não proteste com muita veemência. Seu orgulho a está preparando para a queda. Provérbios 16.18 diz: "O orgulho precede a destruição; a arrogância precede a queda".

Pouco tempo atrás, Rick disse a um colega de ministério que pediu seu conselho: "Sempre escolha o caminho mais humilhante, aquele que o tornará mais humilde, pois Deus concede graça aos humildes". Precisamos ter um coração humilde se desejamos que Deus trate de nossas imperfeições.

Segundo, ao condenar com severidade o pecado de outro cristão sem oferecer a graça decorrente de saber que poderia estar no mesmo barco, você atrai para si julgamento igualmente severo por seus pecados.

Mateus 7.1-2 diz: "Não julguem para não serem julgados, pois vocês serão julgados pelo modo como julgam os outros. O padrão de medida que adotarem será usado para medi-los". Esses versículos são convenientemente usados por aqueles que acreditam que ninguém deve ser responsabilizado por suas ações. *Não* é isso que Jesus está dizendo. Muitos outros versículos da Bíblia ensinam claramente a vida de retidão e santidade. Nos versículos seguintes, Jesus lança mão de hipérbole para destacar um defeito mortal chamado orgulho e para mostrar como ele nos cega para nós mesmos, a ponto de andarmos de um lado para o outro com uma trave em nosso olho enquanto gritamos com nosso próximo porque ele tem um cisco no olho dele. Em outras palavras, os dois primeiros versículos de Mateus 7 dizem: "O pecado é algo extremamente sério. Esteja ciente de que, enquanto você aponta para o pecado de seu próximo, eu observo o seu. Ninguém está imune. Não lhe dou permissão para pecar ainda mais livremente. O que estou lhe dizendo é: garanta que seu coração esteja limpo e puro ao falar das falhas de seu irmão ou de sua irmã".

François Fénelon, bispo católico francês do século 17, escreveu:

> Quando você fica ultrajado com o erro de outro, geralmente não é "indignação justa", mas uma expressão de sua personalidade impaciente. O imperfeito aponta o dedo para o imperfeito. Quanto mais você se amar em seu egoísmo, mais crítico será. O egoísmo não consegue perdoar o egoísmo que encontra em outros. Nada é tão ofensivo para o coração arrogante e presunçoso quanto ver um coração semelhante.[3]

Siga-me enquanto sigo Cristo

Você não tem direito a pecados secretos, mas tem direito a uma vida pessoal.

Com a ajuda de Deus, você pode escolher aceitar a perda de privacidade e dar exemplo a seus filhos de como viver com graça e generosidade, encontrando aspectos cômicos onde for possível em sua existência sob os holofotes. Pode aprender a estabelecer limites ao redor de momentos em público e momentos reservados exclusivos para a intimidade de sua família.

Minha oração por você é que decida, corajosamente, que não quer mais ter uma vida dupla. Cansou de fingir, esconder, encobrir e mentir. Está mais interessada em aproximar sua vida pública e sua vida pessoal, em fechar a brecha, a fim de viver de modo íntegro e saudável.

As pessoas não deixarão de observá-la. Não se esqueça de que pode usar sua visibilidade para influenciar positivamente e inspirar aqueles que a estão observando. Podemos mostrar por meio de nossa vida que Deus é bom e digno de confiança até nos momentos mais sombrios. Esse é um lema que ouvi de Devi Titus, outra esposa de pastor, e que adotei quando era uma jovem esposa de pastor introvertida e tímida, esforçando-se para encontrar seu lugar: "Podem olhar! Avaliem-me, examinem-me. Critiquem-me se lhes parecer justificado. E, se me virem seguindo a Cristo, sigam-me!".[4]

Você deixará uma trilha para outros a seguirem? Ou se tornará parte do "arquivo de advertências" de alguém? A escolha é sua.

10

Lide com críticas

> Agora, amigos, sejam honestos consigo mesmos e permitam que a Luz eterna os sonde e os prove, para o bem de sua alma. Pois essa Luz será honesta com vocês. Ela os rasgará e os abrirá e tornará manifesto tudo o que está alojado em vocês; a sutileza secreta do inimigo de sua alma, esse eterno perscrutador e tentador, se tornará manifesta. Que tudo seja, portanto, sujeitado a essa Luz e por ela sondado e julgado, conduzido e guiado. Pois, diante disso, vocês permanecerão ou cairão.
>
> MARGARET FELL,
> esposa de George Fox

Ao falarmos sobre os desafios que surgem durante o exercício do ministério, outra área em que devemos ficar atentas é a das críticas. Gostaria de poder dizer que as críticas são raras e que provavelmente você não precisa se preocupar com elas, mas a verdade é que fazem parte do pacote. Em maior ou menor grau, acontecem com todas nós. Ao longo dos anos, Rick tem mostrado mais facilidade que eu para lidar com as críticas. Sua reação típica é: "Qual é o *seu* problema?", enquanto minha reação típica é: "Qual é o *nosso* problema? O que *nós* fizemos de errado?". Tive de amadurecer em minha capacidade de processar críticas de maneiras saudáveis.

A crítica pode se apresentar de inúmeras formas, desde um olhar de reprovação até sussurros constantes e comentários negativos explícitos. Por vezes, as críticas se intensificam e se transformam em conflito aberto e, ocasionalmente, em um ataque frontal em que os membros saem da igreja em massa e a igreja se divide. Há ocasiões em que, como resultado das críticas, seu marido é convidado ou obrigado a deixar a igreja. Sem dúvida, elas são a pior parte do ministério, e se você já as recebeu provavelmente pode apontar para as cicatrizes que deixaram.

O que provoca críticas? Há tantas possibilidades: tradições questionadas, medo de mudanças, imaturidade, pecado, guerra espiritual, liderança inadequada, questões financeiras, disparidade entre pastor e igreja, problemas de comunicação, conflitos de personalidade, fofoca, falta de graça e perdão, visões diferentes a respeito do futuro. Todos esses elementos e muitos outros podem contribuir para as feridas dolorosas causadas por críticas e conflitos.

Infelizmente, conflitos na igreja podem magoar e prejudicar os envolvidos quase da mesma forma que uma desestruturação familiar que termina em divórcio.

Infelizmente, conflitos na igreja podem magoar e prejudicar os envolvidos quase da mesma forma que uma desestruturação familiar que termina em divórcio e deixa os membros da família interiormente dilacerados. Esse fato não deve causar surpresa, pois somos uma família espiritual. A Bíblia se refere à igreja como família de Deus em 1Timóteo 3.15: "Esta carta vai lhe dizer como devemos agir na família de Deus, que é a Igreja do Deus vivo, a qual é a coluna e o alicerce da verdade" (NTLH).

Portanto, não somos apenas um corpo com partes inter-relacionadas e interdependentes (Rm 12.5), mas também uma família cuja união é mantida por lealdade, compromisso e votos. Como todas as famílias humanas, a igreja é constituída de seres humanos em processo de mudança; no caso da igreja, estamos em processo de santificação. Estamos todos a caminho de nos tornar semelhantes a Cristo e espiritualmente maduros e saudáveis, mas esse processo muitas vezes é lento e caótico, e pode se tornar bastante desagradável. Quando uma pessoa em processo de mudança comete erros, sempre há repercussões para outros.

Fora da igreja

Às vezes, as críticas vêm de fora. Desde o primeiro dia da Igreja Saddleback até aqui as críticas não foram poucas. Quando começamos a igreja, não estávamos tentando ser hereges radicais. Não estávamos tentando ser revolucionários, criar problemas ou nos tornar famosos. Do fundo do coração, nossa motivação era alcançar pessoas sem igreja neste vale onde moramos. Não estávamos interessados em roubar membros de outras igrejas; nosso trabalho era voltado para pessoas que não iam a igreja *nenhuma*. Nossa única intenção era conquistar o coração delas e cativar sua atenção tempo suficiente para que ouvissem a mensagem de que Deus as ama. Se, para isso, tivéssemos de agir de forma ligeiramente não convencional, que assim fosse. O objetivo — levar homens, mulheres, garotos e garotas não salvos a ter um relacionamento com Jesus Cristo e comunhão afetuosa em seu Corpo — era simples e claro, e estávamos dispostos a arriscar tudo para alcançá-lo. Ainda estamos.

Na década de 1980, a maioria das igrejas ainda adotava um rótulo denominacional; "comunidades" eram raras e levantavam suspeita entre as denominações tradicionais. Trinta e seis anos depois, você pode dar a sua igreja o nome que quiser e ninguém se importa. No entanto, tivemos de lidar com muitas críticas por não adotarmos o nome Igreja Batista do Sul no Vale Saddleback. Como podíamos abandonar nossa herança? Será que nos considerávamos melhores que os outros? Ainda amávamos Jesus? As pessoas ficaram indignadas, como se defendêssemos a ideia de enfileirar todos os batistas à beira de um precipício e empurrá-los de lá. Ficamos magoados com as reações automáticas e com as acusações que alguns lançaram contra nós; as mais dolorosas vieram de pessoas que nos conheciam e deviam saber o que estava em nosso coração.

Fico pasma com as vulgaridades e obscenidades que até mesmo cristãos usam quando criticam uns aos outros.

Olhando em retrospectiva, esse foi o jardim de infância das críticas. Acumulamos um bocado de comentários cáusticos desde 1980. Pessoas disseram (e continuam a dizer) a nosso respeito coisas muito piores que aquelas primeiras acusações, desde a ideia de que pregamos um "evangelho diluído" até incriminações de que somos "falsos profetas", "proponentes do 'crislamismo'" até o "anticristo" (impossível esquecer o filho de um televangelista conhecido que declarou fervorosamente para a câmera que Rick Warren fazia parte do anticristo, que precisava ser colocado sob o sangue do Cordeiro e que ninguém devia ler *Uma vida com propósito* porque era um livro cheio de mentiras vindas direto do abismo do inferno). Rick geralmente é o alvo desses comentários, em razão de sua grande visibilidade como pastor titular. Nunca me esquecerei da primeira vez que comentários cruéis foram dirigidos a mim, quando comecei a defender os direitos de portadores de HIV. Recebi um *e-mail* de uma pessoa furiosa que disse: "Gostaria que você tivesse morrido de câncer de mama". Pois é... Essas são apenas amostras mais leves. Recebemos centenas de comentários impublicáveis. Fico pasma com as vulgaridades e obscenidades que até mesmo cristãos usam quando criticam uns aos outros.

Dentro da igreja

Quando críticas "profissionais" — comentários negativos sobre nosso trabalho, nosso ministério e nossa forma de conduzir a igreja — vêm de fora da igreja, são extremamente difíceis, mas as críticas mais dolorosas sempre vêm de membros da igreja, amigos e colegas de trabalho dedicados ao Senhor, pessoas pelas quais temos grande amor. Pessoas pelas quais sacrificamos tempo, energia, dinheiro e paixão. Pessoas com as quais servimos intimamente no ministério. Pessoas em cuja vida participamos de nascimentos, formaturas, casamentos e funerais. É simplesmente impossível agradar a todos, e é exaustivo tentar. Nem sempre os outros entendem o contexto que levou a mudanças pessoais ou dão valor às horas que sua equipe passou, de joelhos dobrados, buscando a Deus antes de anunciar uma mudança de visão, e a reação é de dúvida, confusão ou mesmo hostilidade. Por vezes, as críticas são mordazes, pesadas, intensas e, infelizmente, muito pessoais. Quando membros da igreja recebem seu amor e cuidado e depois a apunhalam pelas costas, podem criar feridas profundas que parecem incuráveis. Esse tipo de crítica pode esgotá-la e deixá-la amargurada e desiludida, pronta a abandonar completamente o ministério.

Saddleback é, em sua maior parte, um lugar repleto de graça, mas, apesar dos vínculos profundos de amor que temos com nossos membros, houve ocasiões em que pessoas insatisfeitas se irritaram, instigaram hostilidade e saíram da igreja, levando outros consigo. Conhecíamos bem os envolvidos e os amávamos. Ficamos arrasados de perder essas famílias importantes, e lembro-me de derramar muitas lágrimas. Rick e eu analisamos nossas ações, palavras e comportamento e concluímos que estávamos com a razão, mas, em certo sentido, não importava quem estava certo ou errado. A união e a harmonia da igreja foram prejudicadas, pessoas com as quais nos importávamos ficaram devastadas, e nós nos entristecemos profundamente. Perdi a amizade de uma pessoa muito querida, uma íntima companheira de trabalho em um ministério que eu amava. Ela ficou zangada e se sentiu injustiçada. Eu fiquei zangada e me senti injustiçada. Conversas e tentativas de resolver a questão foram inúteis. De repente, no lugar antes ocupado por nossa amizade havia um buraco. Levou muitos anos para que a cura acontecesse, mas aconteceu, e sou extremamente agradecida.

Outra ocasião em que as críticas produziram muita dor foi quando um casal espiritualmente maduro se tornou parte da igreja, e a esposa passou a liderar o ministério das mulheres que, na época, estava começando. Tinha amplo conhecimento bíblico e anos de experiência na liderança de grupos de mulheres. Desenvolvemos afinidade quase de imediato, e ela se tornou não apenas uma amiga, mas uma sábia mentora, alguém que eu admirava. Vinha de uma igreja bem diferente da Saddleback, muito mais tradicional e com forte ênfase sobre a pregação da Bíblia versículo por versículo, considerada a forma *correta* (leia-se "a única forma") de pregar. Ao olhar para trás, não entendo bem por que sequer resolveram participar da Saddleback, mas ficaram conosco durante alguns anos.

Certo dia, minha amiga e mentora avisou que estavam saindo e se mudando para uma igreja onde "pregavam a Bíblia". Suas palavras me arrasaram e humilharam; ela fez com que eu me sentisse espiritualmente inferior. Não houve como demovê-los da decisão de sair. Renunciaram a seus cargos de liderança de imediato e foram para outra igreja. Creio que a vi apenas uma vez nos muitos anos desde então, e esse encontro fortuito foi difícil e constrangedor, pelo menos para mim. Creio que ela nem percebeu o quanto sua crítica me magoou e o quanto lamentei perder uma mulher mais velha que eu amava e respeitava. Imaginei em mais de uma ocasião quanto bem eles poderiam ter feito se houvessem tido paciência com nossa jovem igreja e liderança, e quanto teríamos sido beneficiados por sua experiência.

Se você ouvisse as histórias que ouvi de pastores e de suas famílias ao longo dos anos, ficaria arrasada. Eu poderia escrever um livro só sobre esse assunto. Alguns sofreram injustiças quase inimagináveis por parte das igrejas em que serviam. Ocasionalmente, as diferenças são trabalhadas, reparação e reconciliação acontecem, e os membros feridos voltam e servem nessas igrejas de todo o coração. Na maioria das vezes, porém, passam-se semanas, meses e anos sem reconciliação, e as perdas se acumulam.

Sei de apenas três maneiras de sobreviver às críticas, queixas, conflitos e feridas resultantes e se recuperar delas: deixar os resultados nas mãos de Deus, ser agradecida pelo lado positivo do ministério e praticar perdão radical.

Deixe os resultados nas mãos de Deus

Quando começamos uma nova igreja, muitas vezes nos perguntamos: "Seremos capazes de fazer com que dê certo? Conseguiremos deslanchar?". Depois de algum tempo, a pergunta muda: "Seremos capazes de manter o que começamos?". A pressão para se sair bem aumenta com o tempo, e as críticas também. Às vezes, as críticas são como o pingar constante de uma torneira com vazamento; outras vezes, porém, como em Atos 5.17-42, a oposição é violenta.

Essa passagem de Atos relata o diálogo entre Gamaliel, um líder religioso influente da época, e outros membros proeminentes do sinédrio judaico que estavam indignados com Pedro e os demais apóstolos. Os apóstolos estavam causando alvoroço em Jerusalém com seu ensino a respeito de Jesus e com a cura de muitos enfermos em nome dele. Gamaliel tranquilizou os líderes religiosos com seu conselho sábio nos versículos 38-39:

> Portanto, meu conselho é que deixem esses homens em paz e os soltem. Se o que planejam e fazem é meramente humano, logo serão frustrados. Mas, se é de Deus, vocês não serão capazes de impedi-los. Pode até acontecer de vocês acabarem lutando contra Deus.

Gamaliel ressaltou que, estando Deus por trás de algo, nenhuma ação humana pode frustrar seu plano. Esses versículos me deram força e coragem em vários momentos.

Nossa regra básica a respeito de críticas é perguntar: "Há algum fundo de verdade?". Esse é o aspecto humilde da liderança, a disposição de considerar a possibilidade de que talvez haja certa medida de verdade na queixa ou crítica de alguém. A humildade é especialmente necessária se a crítica vem de uma pessoa da qual você não gosta, que você não respeita ou com a qual não concorda. Se, porém, há alguma verdade na crítica, aceite-a, aplique-a e faça as mudanças necessárias. Esteja preparada para pedir desculpas se for apropriado. Se a crítica não for verdadeira, faça como quando você come peixe: aproveite a carne e jogue fora as espinhas. Não se afunde em minúcias. Você tem um Deus a servir, marido, filhos e talvez netos a amar e um ministério a realizar. Não caia na armadilha de tentar agradar a todos.

Não considere as críticas como se fossem pessoais. Quando alguém nos dizia que pretendia sair da Saddleback por este ou aquele motivo, eu ficava profundamente magoada. Hoje em dia, porém, na maioria das vezes posso dizer: "Ficamos feliz de você ter passado esse tempo conosco. Espero que goste do próximo lugar no qual Deus o colocar e que logo se sinta em casa ali".

Dito isso, pode haver momentos em seu ministério em que, a seu ver, vocês estão fazendo tudo como devem. Estão se rendendo a Deus o máximo que podem, estão caminhando pela fé e têm grandes sonhos para o reino, e no entanto há oposição terrível se formando dentro da igreja. De seu ponto de vista, vocês não estão fazendo nada de errado ou contrário a Deus. Mas o conflito se desenvolve, os membros da igreja se tornam cada vez mais insatisfeitos e, quando se dão conta, vocês estão diante da possibilidade de ser demitidos ou de pedir demissão. É tentador se condenar ou condenar o cônjuge. Quero, porém, que se lembre de uma coisa: a ausência da bênção visível de Deus não significa necessariamente que você pecou ou errou; às vezes, o erro é de alguma outra pessoa. Pode acontecer de os membros da igreja também errarem o alvo. Eis três possibilidades:

Não caia na armadilha de tentar agradar a todos.

- Às vezes perdemos o rumo; nossos esforços ficam aquém do necessário e todos veem que é esse o caso.
- Às vezes estamos no rumo certo e nada pode nos deter.
- Às vezes estamos no rumo certo, mas, ainda assim, as coisas dão errado.

Atos 5.38-39 lhe dá este consolo: se sua relação com o ministério vier de Deus, as coisas se encaminharão. Se não vier de Deus, não irão adiante. Tudo bem se isso acontecer. De uma forma ou de outra, Deus está trabalhando em sua vida. Se você estiver no rumo certo, seguindo os planos dele, as críticas e a oposição não poderão desviá-la. Se estiver fazendo algo que não estava de acordo com o plano de Deus, ele usará o fracasso para lhe ensinar gentilmente, para restaurá-la e conduzi-la a outra fase de ministério. Deus ainda está realizando o plano de amor dele em sua vida e em seu ministério. É possível, contudo, que não se pareça com aquilo que você planejou.

Seja agradecida pelo lado positivo do ministério

Em minha pesquisa não cientifica com três mil esposas de pastor que seguem Rick e eu nas redes sociais, 77% das entrevistadas consideraram sua experiência como esposa de pastor de positiva a muito positiva (10% avaliaram como 6 numa escala de 0 a 10; 23% como 7; 25% como 8; 11% como 9; e 8% como 10). Para 13%, sua experiência foi neutra, e 10% a consideraram mais negativa que positiva.

Alguns dos comentários refletem a ambivalência que muitas esposas de pastor sentem:

> Gosto de estar na vanguarda daquilo que Deus está realizando. A parte complicada é a atenção que as pessoas exigem de meu marido e de mim; é difícil administrar tudo.

> É complicado quando sua vida está vinculada ao lugar em que você convive com outros em comunidade. É ali que temos amigos e um pequeno grupo, e onde nossa família está envolvida. A certa altura, houve uma diferença de opiniões e não sabíamos o que o futuro reservava.

Quando Rick estava no seminário, frequentávamos uma igreja com cerca de setecentos casais de estudantes do seminário. Mary Burleson, esposa do pastor titular, verdadeiramente se dedicava a nós, esposas de seminaristas. Lecionava para nós semanalmente e nos transmitia a sabedoria que havia acumulado ao longo de décadas de ministério. Jamais me esquecerei de uma de nossas lições de casa. Tínhamos de anotar tudo o que conseguíssemos imaginar como aspectos positivos do ministério, pois, como Mary nos disse, haveria dias em que detestaríamos o ministério e gostaríamos de estar fazendo alguma outra coisa. Pediu que lêssemos Hebreus 12.15 juntas e disse que devíamos aprender a cultivar gratidão pelas coisas boas, pois ela nos protegeria da amargura:

> Cuidem uns dos outros para que nenhum de vocês deixe de experimentar a graça de Deus. Fiquem atentos para que não brote nenhuma raiz venenosa de amargura que cause perturbação, contaminando muitos.

Compartilhamos nossas listas pessoais umas com as outras e compilamos pelo menos cem aspectos positivos, grandes e pequenos, de estar no ministério. Eis apenas alguns itens da lista: oportunidade de fazer excelentes amizades; um ambiente em que a Bíblia ocupa o centro; encontros sem cigarro e sem álcool; possibilidade de trabalhar com pessoas que têm valores semelhantes aos meus; nossos filhos têm contato com pessoas de caráter forte; há pessoas que ministram a nós; o trabalho não é vão; oportunidade de receber em casa pessoas piedosas; conhecimento do que se passa na igreja; possibilidade de fazer os filhos se sentirem especiais e importantes; a família tem um só propósito no ministério conjunto; possibilidade de ver Deus operando na vida de outras pessoas; ambiente acolhedor em momentos de dificuldades; apoio de oração de várias pessoas.

Cada item positivo aumentará sua gratidão e diminuirá a possibilidade de que a amargura corrompa sua alma.

Mary disse: "Guardem essa lista. Coloquem-na dentro da Bíblia e, naqueles dias especialmente ruins, leiam-na e lembrem-se das bênçãos que lhes pertencem". Ainda tenho minha lista com orelhas nos cantos e quase rasgada nas dobras. Não sei dizer quantas vezes ao longo dos anos peguei esses papéis e os reli na presença de Deus. Muito obrigada, Mary.

Talvez você esteja um tanto saturada ou cínica a respeito do ministério. As idiossincrasias, falhas e pecados dos membros da igreja a estão desgastando. Talvez críticas e oposição estejam correndo soltas no momento. Talvez *qualquer* carreira exceto o ministério pareça atraente hoje. É possível que seja hora de compilar sua lista. Envolva toda a família. Pensem juntos nos aspectos positivos. Anotem todos eles, até mesmo os mais bobos, como "posso comer bolo depois do culto". Cada item positivo aumentará sua gratidão e diminuirá a possibilidade de que a amargura corrompa sua alma.

Pratique perdão radical

O perdão radical será necessário em muitas ocasiões ao longo do ministério. Você precisará pedi-lo e oferecê-lo. Você é um ser humano falível, como também o são as pessoas que ocupam os bancos da igreja. É inevitável que você erre, e elas também.

Você conhece os versículos sobre perdão na Bíblia. É provável que possa citar cinco deles de imediato. Não temos dificuldade de perdoar por falta de conhecimento do que Deus diz a esse respeito. O que nos atrapalha não é ignorância. Então por que é tão absurdamente difícil perdoar alguém na igreja de modo verdadeiro e radical? Talvez a ofensa nos pegue de surpresa quando vem de um membro da família de fé, como aconteceu com o rei Davi em Salmos 55.12-14:

> Não é meu inimigo que me insulta;
>   se fosse, eu poderia suportar.
> Não são meus adversários que se levantam contra mim;
>   deles eu poderia me esconder.
> Antes, é você, meu igual,
>   meu companheiro e amigo chegado.
> Como era agradável a comunhão que desfrutávamos
>   quando acompanhávamos a multidão à casa de Deus!

Pouco tempo atrás, faleceu uma das mulheres que participaram da fundação da igreja e que estava conosco há 35 anos. Ir a funerais é um desafio e tanto para mim hoje em dia, e me senti especialmente triste de me despedir dessa bela e fiel mulher de Deus. Planejava ir ao sepultamento depois do culto fúnebre e, portanto, parei para comprar flores para o túmulo dela e também para o de Matthew, pois ele havia sido sepultado no mesmo cemitério.

Ao me aproximar da entrada da floricultura, observei um homem pedindo doações para uma organização. Geralmente contribuo com qualquer pessoa que esteja ali — Escoteiros, Exército da Salvação etc. —, mas, naquele dia, estava imersa em tristeza. Olhava para o chão, perdida em pensamentos de luto por minha amiga e por Matthew. Quando o homem perguntou se eu gostaria de contribuir, olhei rapidamente para ele entre as lágrimas e disse: "Hoje não, obrigada". Entrei na loja, comprei as flores e fui embora.

Dois dias depois, recebi uma carta daquele homem. Dizia: "Outro dia, pedi uma doação para você em frente à floricultura e notei que, além de não contribuir para essa nobre causa, você me deu um olhar atravessado. Tome cuidado, pois as pessoas estão observando sua vida. Não vou fazer fofoca, mas você tem dinheiro de sobra e deveria ter feito uma doação".

Em geral, consigo lidar com críticas com graça, mas dessa vez fiquei furiosa. Creio que as palavras dele me feriram porque ele fez uma suposição a meu respeito no meio de um momento de tristeza e depois questionou minha generosidade. Para terminar, fez uma ameaça velada de espalhar boatos sobre minha suposta mesquinhez. Costumo não dar atenção para cartas desse tipo, ou então respondo em tom neutro e conciliador, sem ofender. Essa carta, porém, mexeu comigo.

Tive de resistir ao impulso de responder com um *e-mail* agressivo que não apenas esclarecesse as coisas, mas também o esmagasse como se fosse um inseto. Minhas mãos ainda tremiam quando me acalmei um pouco e digitei algumas palavras incisivas em defesa própria, falando de minha tristeza profunda naquele dia e explicando que eu não havia olhado atravessado para ele, mas havia falado calmamente, em meio a lágrimas. Encerrei o *e-mail* expressando meu desejo de que ele me julgasse com mais bondade.

Como disse, geralmente não respondo a cartas desse tipo; não sei se fiz bem de escrever para ele. Talvez minhas palavras não tenham mudado coisa alguma. É possível que ele esteja convencido, até hoje, de que fui indelicada naquele dia em frente à floricultura e de que sou mesquinha. Percebi, contudo, o que torna mais difícil perdoá-lo: não é minha tristeza, mas, sim, meu orgulho ferido. Muitas vezes, preciso perdoar gente que não entende como é vivenciar tristeza profunda e catastrófica. Aquele homem, porém, julgou algo de que me orgulho. Vejo-me como uma pessoa generosa. Saber que ele me considerou mesquinha e relutante em dividir com os necessitados foi um golpe duro contra esse orgulho. Sinceramente, minha vontade é relatar esse incidente com frequência. Quero contar essa história porque as pessoas que me amam se sentem ofendidas por tabela. Mas de que adiantará? Que me resta fazer senão perdoá-lo radicalmente? Apegar-me à mágoa e ao desejo de julgá-lo e condená-lo é permitir que a amargura ganhe espaço em minha alma. Preciso deixá-lo para trás e abrir mão de meu desejo de retaliação.

E você? Já teve dificuldade de perdoar um irmão ou uma irmã em Cristo? Talvez tenha sido derrubada por palavras de acusação, repreensão, julgamento ou condenação proferidas contra você ou seu marido por uma pessoa amiga. Como observamos anteriormente, quando somos feridas por alguém com quem servimos a Jesus e oramos, para quem derramamos nosso coração confiadamente e revelamos segredos, com quem atravessamos sofrimentos, rimos, brincamos e adoramos a Deus, a ferida parece a mais absoluta traição. Talvez esperássemos algo melhor de outro cristão, talvez não imaginássemos, de forma alguma, que ele pudesse nos magoar tanto, ou talvez pensássemos que nosso amor mútuo por Jesus nos protegeria das dificuldades inerentes à amizade.

É possível que seus filhos acabem envolvidos. Talvez tenham sido o alvo das críticas, e você não esteja apenas magoada, mas furiosa. "Como ousam tratar minha filha dessa forma?" ou "O que os fez pensar que poderiam dizer uma coisa dessas de meus filhos?". Esse é um território perigoso para você como mãe. Nada obscurece nosso raciocínio tão rapidamente quanto nos sentirmos defensivas a respeito de nossos filhos queridos. É preciso grande sabedoria para distanciar-se de situações tensas que envolvam nossos filhos e avaliá-las devidamente a fim de enxergar com clareza. Suponhamos, porém, que você esteja enxergando com clareza, que seus filhos tenham sido tratados de modo injusto ou indelicado e que suas emoções estejam em ponto de ebulição. Você precisará de todas as suas forças para perdoar quem causou a ofensa.

Talvez não tenha sido uma ferida pessoal infligida em você ou em sua família que a tirou do sério, mas a revelação do comportamento pecaminoso de alguém. Um membro de sua equipe pastoral caiu em adultério, ou foi flagrado usando pornografia, ou tem problemas de alcoolismo, ou foi pego "tomando dinheiro emprestado" do caixa da igreja. Além de surpresa, você sente decepção e desilusão, e talvez até indignação justa com alguém que sabia que deveria ter agido de outra forma.

No fim das contas, porém, não temos muitas opções. Nutrir rancor, manter um registro das injustiças, guardar distância uns dos outros, recusar-nos a abrir mão da mágoa ou esperar que o outro peça perdão primeiro parecem atitudes justificadas, mas prejudicam a união e a harmonia que, de acordo com Deus, *precisa* definir o corpo dele, a igreja.

Como é bom e agradável
quando os irmãos vivem em união!

Salmos 133.1

Façam todo o possível para se manterem unidos no Espírito,
ligados pelo vínculo da paz.

Efésios 4.3

No que depender de vocês, vivam em paz com todos.

Romanos 12.18

Há muita coisa em jogo. A união na igreja é caracterizada pelo perdão radical que pode atrair alguém para Cristo ou afastá-lo de Cristo. Aliás, Jesus disse em João 17.23 que, quando vivermos em união, as pessoas saberão que Deus é real e que seu amor por elas é verdadeiro: "Eu estou neles e tu estás em mim. Que eles experimentem unidade perfeita, para que todo o mundo saiba que tu me enviaste e que os amas tanto quanto me amas".

Precisamos considerar o oposto desse versículo e entender que, quando não vivemos em união, as pessoas do mundo *não* sabem que Deus é real e que ele as ama. Puxa! Essa verdade não deixa muito espaço para orgulho ferido, nem mesmo quando é justificado. François Fénelon escreveu: "Seu amor-próprio é terrivelmente sensível. Não importa quão levemente seja insultado, grita: 'Assassino!'".[1] A maioria de nós tem dificuldade em abrir mão daquilo que nos parece ser de direito. Quando não perdoamos sem restrições, porém, amamos a nós

A união na igreja é caracterizada pelo perdão radical que pode atrair alguém para Cristo ou afastá-lo de Cristo.

mesmas mais do que amamos a Deus, e mais do que amamos aqueles que ainda não conhecem a Deus.

Mais uma vez, Fénelon escreve com sábia percepção:

> Não se aborreça quando foram ditas coisas a seu respeito. Deixe que o mundo fale; apenas procure fazer a vontade de Deus. Você jamais será capaz de satisfazer inteiramente as pessoas, e não vale o esforço árduo. A paz silenciosa e a doce comunhão com Deus o recompensarão por toda palavra maldosa proferida contra você. Ame seu próximo sem esperar a amizade dele. Pessoas vêm e vão; deixe que façam como lhes apraz. Olhe apenas para Deus. É ele quem o aflige ou o consola por meio de pessoas e circunstâncias. Ele o faz para o seu bem.[2]

Não sei quantos livros, sermões, palestras, cânticos e dramatizações foram dedicados ao perdão; milhares, provavelmente. Tenho consciência de que minhas poucas palavras não serão transformadoras. Só posso lhe dizer o que aprendi em mais de quarenta anos de ministério: o perdão radical é a única maneira de sobreviver às críticas com o espírito intacto.

Prossiga, prossiga

Talvez essa conversa tenha despertado em você memórias e sentimentos intensos ao refletir sobre seu tempo no ministério. Quem sabe o rosto de pessoas que a traíram, magoaram seus filhos ou prejudicaram a igreja ainda esteja nítido na memória. Pode ser que você esteja no meio de forte oposição neste exato momento e tenha pensado: "Deus, não aguento mais; não consigo continuar a carregar esse fardo para o Senhor. Não consigo continuar a servir sabendo que pessoas de todos os lados estão nos atacando. Estou cansada e magoada demais".

Entendo você, minha irmã querida. Entendo de verdade. São essas coisas que fazem o "privilégio sagrado" parecer uma piada cruel e de mau gosto. Esse é o momento de prosseguir em seu relacionamento com Deus. Lembre-se dos motivos pelos quais você realiza seu trabalho e de quem é o supremo Juiz e Avaliador de sua vida. Deixe que ele trate de qualquer amargura que esteja criando raízes em sua alma. Peça que ele lhe mostre quando receber e aceitar críticas, por mais difícil que seja, e lhe dê forças para fazer mudanças. Peça que ele lhe dê um coração humilde, para que você possa se manter firme, sem manipulações, quando as críticas lhe parecerem injustas ou desproporcionais. Peça clareza para saber quando se pronunciar contra a maldade e a injustiça e quando deixar que ele trabalhe de modo mais silencioso. Esse é o momento de cultivar uma alma agradecida e de realizar a difícil tarefa do perdão e, quando possível, da restauração, ciente de que as pessoas do mundo nos observam e precisam ver o povo de Deus vivendo em harmonia e união a fim de saberem que Deus também as ama.

11
Adote uma perspectiva eterna

Eu me apegarei a Cristo como um carrapicho se apega ao tecido.

CATARINA VON BORA,
esposa de Martinho Lutero

Ao longo de uma vida inteira de ministério, você experimentará mudanças dramáticas em si mesma, no casamento, na família e na caminhada com Deus. Deparará com situações que irão além daquilo que você se imaginava capaz de suportar. Aprenderá a expandir sua reação a circunstâncias imprevisíveis e situações fora de seu controle à medida que se tornar mais flexível, adaptável e resiliente. Tanta coisa mudará! Duas coisas, porém, devem permanecer estáveis e constantes se você deseja ter um ministério duradouro: seu propósito e sua perspectiva.

Alinhe seu propósito

Qual é seu propósito maior ao viver cada dia? O que a motiva a se levantar a cada manhã? Por favor, não se apresse em dar automaticamente a resposta exemplar. Todas nós sabemos que devemos dizer algo como: "Meu propósito é agradar a Deus". Se aprendermos a verdadeiramente *viver* de acordo com esse princípio, ele será o filtro que usaremos para avaliar tudo o que acontece conosco e nos tornará inabaláveis quando o chão sob nossos pés se mover.

Meu propósito de vida é resumido em 2Coríntios 5.9: "Assim, quer estejamos neste corpo, quer o deixemos, nosso objetivo é agradar ao Senhor".

Tenho dezenas de motivos para me levantar a cada manhã, desde os mais profundos até os mais banais — amor por minha família, meu trabalho, o ministério, responsabilidades a cumprir, tarefas a realizar, compromissos a honrar —, mas o maior motivo para sair de debaixo dos cobertores é dizer "sim" para Deus. Cada novo dia me permite afirmar, mais uma vez, o entendimento de que existo para agradá-lo e de que ele pode fazer em minha vida o que bem lhe aprouver. Se não me recordo de meu propósito ao longo de todo o dia, perco a calma e esqueço por que, afinal, estou ocupando espaço neste planeta. Não estou aqui para ter uma casa impecavelmente decorada. Não estou aqui para fazer um bolo de banana delicioso. Não estou aqui para escrever livros ou lecionar. Não estou aqui para ser esposa de Rick ou mãe de meus filhos. Estou aqui para agradar a Deus. Será que lhe dou prazer ao amar devidamente, usar meus dons, cumprir seu chamado? Sem dúvida. No cerne de tudo isso, porém, está um coração rendido que diz "sim" não importa o que aconteça.

Cada novo dia me permite afirmar, mais uma vez, o entendimento de que existo para agradá-lo e de que ele pode fazer em minha vida o que bem lhe aprouver.

Em capítulos anteriores, mencionei alguns dos ministérios dos quais participei ao longo dos anos: pianista da igreja, coordenadora do berçário, professora do estudo bíblico para mulheres, professora da classe para novos membros, professora do ministério com universitários, fundadora da organização em prol de portadores de HIV, voluntária no ministério de saúde mental. Referi-me a eles de modo tão passageiro que não deu para perceber o quanto me entristeci quando alguma dessas responsabilidades de ministério mudou. Foi uma luta toda vez que Deus pediu que eu abrisse mão de um ministério e assumisse outro. Mesmo empolgada com o novo projeto para o qual ele havia me chamado, eu me entristecia com o fim de uma época de ministério que eu amava.

Depois de aceitar que sou uma mulher comum porém capaz, descobri que Deus me deu o dom espiritual de ensino. Comecei a liderar o estudo bíblico para mulheres, uma responsabilidade pela qual me apaixonei. Amava estudar a Palavra, transmitir às mulheres as verdades que Deus estava me ensinando, vê-las se aproximarem de Cristo e amadurecerem na fé. Mas as coisas mudaram quando Amy tinha 10 anos, Josh tinha 7 e Matthew, 3. Matthew era, digamos, um garotinho *ativo* que exigia um bocado de minha atenção. Não gostava de brincar sozinho, o que tornava difícil eu estudar e preparar as lições semanais. Descobri que se o deixasse assistir à televisão enquanto eu estudava, conseguia me preparar, com um mínimo de interrupções, para ensinar mulheres como educar os filhos. Não captei a ironia de colocar meu filho pequeno na frente da televisão horas a fio para que eu pudesse ensinar outras mulheres a educar os filhos delas. Pois é.

Tenho vergonha de dizer que levou tempo para eu perceber a incoerência, mas um dia ela ficou clara. Não lembro se houve algo que me alertou para minha hipocrisia. Só lembro que estava tomando banho antes de ir para o estudo bíblico certa manhã e ouvi Deus dizer: "Kay, você precisa abrir mão do estudo bíblico; tem de entregá-lo a outra pessoa".

Já aconteceu de você ter uma conversa com Deus em que *sabia* que ele estava lhe dizendo algo, mas fingiu não ouvir porque, se reconhecesse que o tinha ouvido, precisaria tomar uma providência? É como naquele comercial de celulares em que a garota diz: "Não estou ouvindo, não estou ouvindo. A ligação está ruim" quando a mãe telefona para ela. Não há nada de errado com a ligação; é a garota que não quer ouvir. Foi assim comigo naquele dia enquanto tomava banho.

Comecei a discutir com Deus: "O Senhor está falando sério? Não quer dizer que eu preciso abrir mão *mesmo*, não é? Eu não corri atrás desse ministério. O *Senhor* o deu para mim! O *Senhor* me concedeu o dom de ensino. Se não é para ensinar, o que devo fazer? Além do mais, a vida dessas mulheres está sendo transformada. Por que o Senhor pediria que eu deixasse esse trabalho?". Em seguida, tentei negociar com Deus: "E se eu deixar Matthew assistir à televisão apenas por duas horas, em vez de três? E se eu revezar com outra professora, e só tiver de me preparar duas vezes por mês? E se eu encontrar uma mãe para cuidar de Matthew, para que ele possa brincar com outras crianças enquanto eu estudo?". Todos esses ajustes poderiam ser aceitáveis para outra pessoa, mas Deus não estava pedindo que eu fizesse ajustes. Suas palavras foram claras: "Abra mão, Kay".

Em meio às lágrimas, percebi o verdadeiro motivo de minha resistência: tinha medo de que, se entregasse o estudo bíblico a outra pessoa, ela faria um trabalho melhor. Tinha medo de que, se em algum momento Deus me desse permissão para voltar a ensinar, as mulheres ficassem decepcionadas com minha volta; teriam desenvolvido mais afeição pela nova professora que por mim. Parte da questão era a necessidade de me envolver mais com meu garotinho ativo. O problema, contudo, não era tanto Matthew, mas sim meu forte apego não apenas a um ministério que eu tinha medo de colocar nas mãos de Deus, como também a meu ego.

Por fim, lembrei-me de meu propósito de vida: agradar a Deus acima de tudo, inclusive de mim mesma. Se Deus havia me instruído a abrir mão do estudo bíblico, era o que precisava fazer. Se as mulheres gostassem mais da nova professora do que gostavam de mim, eu teria de aceitar essa realidade. Se Deus nunca mais me permitisse voltar a ensinar, ele me mostraria alguma outra coisa. Meu propósito é firme e inabalável: agradá-lo.

Já lutou com Deus por causa de algo que ele está pedindo que você entregue? Quando descobre um lugar especial para servir ao Senhor, em que dá frutos e sente satisfação, é extremamente difícil abrir mão. Quando se apaixona por uma igreja, é doloroso ir embora e entregá-la a outra pessoa. Quando parece que ele tem deixado você no banco de reserva, é difícil esperar. Talvez Deus esteja sussurrando a seu espírito palavras sobre mudança, sobre abrir mão, prosseguir para algo novo e entregar, mas você esteja fazendo como eu: fingindo não ouvi-lo. "Desculpe, Senhor, a ligação está ruim." Ou talvez esteja discutindo ou tentando negociar com ele. Pode ser que o ouça dizer: "Sim, fui eu que lhe concedi seus dons, mas este não é o momento certo". Seu propósito é agradá-lo acima de si mesma. Você pertence a Deus, e se ele quiser tirá-la do começo da fila e colocá-la no fim, tudo bem. Se ele quiser removê-la completamente da fila, tudo bem também. Seu propósito é agradá-lo, ser disposta a mudar, flexível e moldável nas mãos dele. Se seu propósito firme é agradá-lo, você será capaz

Meu propósito é firme e inabalável: agradá-lo.

de se adaptar às mudanças que ocorrerem, convicta de que ele não se esqueceu de você. Definir seu propósito permite que você enxergue sob uma nova ótica situações sobre as quais você não tem muito controle ou que não fazem muito sentido.

Adote uma nova perspectiva

Daqui cinco anos, algumas de vocês não estarão mais no ministério. Algumas o terão deixado para desenvolver outras carreiras porque Deus muda seu chamado, o que é ótimo. Mas algumas terão saído do ministério porque as coisas ficaram difíceis ou dolorosas demais. Se você não desenvolver uma perspectiva capaz de abranger situações que não mudam, não melhoram, não parecem diferentes, ou em que é difícil ter esperança, mais cedo ou mais tarde talvez virá a desistir. Talvez não se afaste de Deus, mas se afastará do ministério. Ou ficará no ministério, mas com um coração frio e estéril em relação a Deus. Não quero que você persista com um coração entorpecido, e não quero que desista porque não soube ver tudo o que lhe acontece por uma perspectiva eterna.

Quando você define seu propósito, surge uma nova perspectiva; ela lhe permite enfrentar situações em que tudo parece desabar e a ajuda a lidar com as inevitáveis perdas, decepções, traições, aflições, fracassos, demoras ou tristezas que acontecem com todas nós. Todos os dias, mulheres como você compartilham comigo seus lugares sombrios de luta e dor; parte desse sofrimento ocorre no ministério e parte, nos relacionamentos que mais prezamos.

Como disse no capítulo 10, o ministério a outros seres humanos imperfeitos pode causar feridas. Em geral, começamos o ministério com os braços bem abertos, prontas para amar um grupo de pessoas e convidá-las a nos amar também. Então, a vida real entra em cena e a lua de mel acaba. Você abriu seu coração e suas afeições para os membros da igreja, e eles a excluíram. Essa realidade dói. Nossa reação característica é ir fechando os braços gradativamente para nos proteger de mais sofrimento.

O apóstolo Paulo passou por uma situação semelhante com a igreja em Corinto. Compartilhou suas dores com esses cristãos em 2Coríntios 6.11-13:

> Queridos coríntios, falamos a vocês com toda honestidade e lhes abrimos o coração. Não falta amor da nossa parte, mas vocês nos negaram seu afeto. Peço que retribuam esse amor como se fossem meus próprios filhos. Abram o coração para nós!

Você levou pessoas a Cristo, amou-as e disciplinou-as. Esteve presente quando o cachorro ficou doente, quando alguém da família morreu, quando o casamento estava se desintegrando. Participou de todos os momentos felizes: chás de bebê e de panela e festas de formatura. Passou horas com elas. Derramou-se para elas, mas resolveram que não querem mais ser suas amigas ou frequentar sua igreja. Talvez discordem da visão ou dos objetivos da igreja, ou do modo como os recursos estão sendo alocados. Talvez seja um conflito de personalidade, uma luta por poder ou uma diferença teológica. No fim das contas, imaginam que você e seu marido estão errados e que qualquer um poderia se sair melhor na liderança da igreja. Avisarão que estão saindo ou, pior, sairão sem avisar. A partida delas deixará um imenso vazio em seu coração.

É possível que você tenha vivenciado dor profunda na infância e adolescência, ou no casamento, ou como mãe. Alguém em sua vida a feriu. Talvez vários "alguéns" a tenham ferido. Como o rapaz que abusou de mim quando eu era pequena, algumas dessas pessoas a feriram de propósito. Outras, porém, não tinham a intenção. Nas interações diárias dos relacionamentos, simplesmente aconteceu. Quem sabe essas pessoas não estivessem presentes quando você precisou do amor, do incentivo e do apoio delas. Pode ser que imaginassem que estavam tomando decisões prudentes, mas essas decisões tiveram implicações difíceis para você. Talvez as feridas mais profundas tenham vindo não de pessoas, mas das consequências de viver em um mundo que geme e aguarda a volta de Cristo. Pode ser que você tenha sofrido indisposições, enfermidades, doenças crônicas do corpo ou da mente e esteja cansada de tanto lutar.

Ao ler estas palavras, é possível que haja um poço profundo de dor em seu coração. Ele está presente em meu coração também. No entanto, estou decidida a não me afastar de Deus. Estou decidida a olhar pela perspectiva eterna de Deus até mesmo para minha tristeza mais intensa. A única maneira de você e eu conseguirmos permanecer firmes até que Jesus venha nos buscar é ver tudo pelos olhos de Deus. Essa perspectiva eterna não acontece automaticamente para todos que se tornam cristãos. Começa como a decisão de viver em total rendição a Deus, mas a decisão inicial precisa ser fortalecida ao longo dos anos, à medida que o conhecemos, o amamos e confiamos nele.

Os capítulos 37—50 de Gênesis relatam a história de José e de sua família — que, aliás, era extremamente problemática. Você conhece a história. José é vendido como escravo por seus irmãos invejosos, que o consideram um sonhador narcisista. É levado para o Egito, onde acaba alcançando proeminência e se torna o segundo no poder. Um dia, seus irmãos, que enfrentam uma crise de fome em Israel, viajam para o Egito em busca de alimento. Não sabem que José, seu irmão mais novo, é o responsável pelo armazenamento e a distribuição de alimentos — eles nem imaginam que José está vivo. Não reconhecem o homem poderoso quando se ajoelham diante dele, mas ele os reconhece e começa uma missão secreta para ser reunido a seu pai, Jacó. Depois que José revela sua identidade, seus irmãos e seu pai se mudam para o Egito, onde José cuida deles. Passado algum tempo, Jacó morre e os irmãos temem que José finalmente se vingue deles por o haverem vendido como escravo. Prostram-se com o rosto no chão diante dele e afirmam que merecem morrer por causa de sua traição e brutalidade. Procuram amolecer o coração de José em relação a eles ao transmitir o desejo de Jacó no leito de morte, a saber, de que José os perdoasse.

A única maneira de você e eu conseguirmos permanecer firmes até que Jesus venha nos buscar é ver tudo pelos olhos de Deus.

José tinha motivos de sobra para castigá-los de modo tão cruel quanto o haviam tratado anos antes. Em vez disso, faz uma das mais comoventes declarações de perspectiva eterna registradas na Bíblia. Em Gênesis 50.20, José olha para seus irmãos e diz: "Vocês pretendiam me fazer o mal, mas Deus planejou tudo para o bem. Colocou-me neste cargo para que eu pudesse salvar a vida de muitos".

Choro todas as vezes que leio essas palavras emocionantes e intensas. José não encobre a injustiça cometida contra ele nem a minimiza. Não dá de ombros e diz: "Não foi nada". Concorda com a admissão de seus irmãos de que pecaram, o prejudicaram e o maltrataram gravemente. "Vocês pretendiam me fazer o mal." É plausível esperar que suas palavras seguintes sejam: "Diante de seu reconhecimento de culpa pelo crime terrível que cometeram contra mim, eu os condeno a trinta anos de trabalhos forçados" ou "Eu os expulso de meu reino para sempre" ou "Eu os condeno à morte".

Mas não é isso que José diz, e é por esse motivo que sua narrativa reverbera ao longo da história.

José diz: "Deus planejou tudo para o bem. Colocou-me neste cargo para que eu pudesse salvar a vida de muitos". Ele entende Deus e a fé de uma forma desconhecida para nós. Explica o que, muitas vezes, parece inexplicável. Enxerga o mundo do ponto de vista de Deus; ele tem a perspectiva eterna. Vê que Deus estava operando no mal e na injustiça cometidos contra ele; vê que Deus virou o mal de ponta-cabeça; vê que, como resultado de traição, mentiras, abuso, abandono, acusações falsas e prisão injusta, milhares de pessoas sobreviveram a uma fome terrível.

José não enterra seu sofrimento debaixo da mentalidade de que "líderes precisam ser durões"; tem a coragem de admitir que foi seriamente ferido. Então, em vez de se vingar, perdoa os irmãos e pronuncia palavras de fé extraordinária no poder de Deus de fazer com que o mal resulte em bem. É uma reação notável a abuso e maus-tratos. A história poderia terminar aí, e seria maravilhosa, digna de ser contada e recontada. Mas não se encerra com o simples perdão de uma dívida relacional. O último versículo torna o relato verdadeiramente sublime: "'Não tenham medo. Continuarei a cuidar de vocês e de seus filhos.' Desse modo, ele os tranquilizou ao tratá-los com bondade" (Gn 50.21).

José não apenas perdoou seus irmãos e abriu mão da vingança, mas também foi além de todas as expectativas razoáveis e os *abençoou*. Seu voto de mostrar misericórdia, bondade, compaixão e carinho por aqueles que o feriram e o abandonaram para que morresse me deixa sem palavras. Para ser sincera, uma parte de mim deseja defender José. Não bastava perdoar? O que mais esse homem tão maltratado precisava fazer por seus irmãos infelizes e a família deles? Como é possível uma coisa dessas? Como José conseguiu abençoá-los e, então, oferecer aquilo que Dallas Willard chama de "projeção do bem na vida de outro"?[1] É evidente que José não confiava apenas que Deus o ajudaria a tratar seus algozes com bondade e compaixão; também confiava que Deus estava operando no meio da mais intensa dor e tristeza de sua vida.

Essa é a perspectiva eterna que a levará até o final. Se você começar a enxergar o mundo pelo ponto de vista de Deus, nada jamais a destruirá. Nada.

Olhamos para o que aconteceu conosco e começamos a levantar objeções: "Como posso deixar que alguém veja o quanto aquilo me feriu? Como é possível perdoar radicalmente o que fizeram contra mim ou contra meu ente querido? Em que sentido essa ferida é algo que pode fazer o mal resultar em bem? Como pode salvar a vida de outra pessoa? E como *abençoar* a pessoa que me feriu e buscar o bem dela? Simplesmente não é possível".

Toda vez que falo sobre o abuso que sofri quando criança, sobre os problemas sexuais resultantes e sobre como Deus me curou, há mulheres (e, por vezes, homens) que sussurram suas histórias de estupro, incesto e abuso de todos os tipos. Muitas vezes, dizem: "É a primeira vez que conto essa experiência a alguém. Se Deus curou você e lhe deu restauração, quem sabe há esperança para mim também".

A esperança nasce; uma vida é salva.

Quando Rick e eu falamos sobre nossas dificuldades no casamento, casais resolvem tentar de novo. Concluem que se

Deus pode dar um excelente casamento a duas das pessoas mais teimosas, imaturas e egocêntricas que ele criou até hoje, então talvez eles também possam edificar um casamento que durará a vida toda.

A esperança nasce; uma vida é salva.

À medida que começo a contar como estamos reconstruindo a vida depois do suicídio de nosso querido Matthew, outros sobreviventes me dizem que nossa resiliência diante de uma das tragédias mais horrendas da vida os levou a crer que eles também podem não apenas sobreviver, mas, com o tempo, voltar a ser felizes.

A esperança nasce; uma vida é salva.

Não há dúvida. O inimigo de sua alma planejou tudo para o mal. É possível que tenha usado outros seres humanos para prejudicá-la, mas, por trás daquilo que eles fizeram, está o que ele tentou fazer. Tentou destrui-la, acabar com sua vida, fazê-la desistir e concluir que não podia mais suportar um dia sequer, que o preço era alto demais, que nenhum chamado de Deus valia o sacrifício necessário. Você precisa saber em seu âmago que Deus chora com você e diz: "Sinto muito por sua dor; as feridas que despedaçaram seu coração também despedaçam o meu. Deixaram cicatrizes e esgotaram sua vitalidade. Mas, quando você permitir que eu cuide das feridas, usarei as cicatrizes para o bem, para salvar muitas vidas".

Cultivar uma perspectiva eterna a impedirá de afastar-se de Deus nos momentos difíceis.

Cultivar uma perspectiva eterna a impedirá de afastar-se de Deus nos momentos difíceis. Em João 21, encontramos mais um princípio para nos guiar.

Siga o princípio "o que lhe importa"

Antes de a Igreja Saddleback comprar o terreno e construir o templo e os outros prédios, nós não tínhamos nada. Alugamos espaços em vários pontos do vale Saddleback — escolas, bancos, centros comunitários —, qualquer lugar que abrigasse nosso grupo cada vez mais numeroso. Quando começamos a igreja em nosso pequeno apartamento, eu sabia que seria apenas por um tempo; só não sabia que levaria quinze anos até termos um terreno e construirmos o primeiro templo. Pensei em uns cinco anos. Disse para mim mesma: "Eu consigo! Sou capaz de lidar com o trabalho de levar e trazer cadeiras dobráveis, móveis de berçário, materiais de escola dominical e equipamento de áudio todos os sábados e domingos". Contudo, o encanto e a empolgação de plantar uma igreja começaram a se dissipar diante da inconveniência dos locais temporários. Ser "pioneira" não era mais divertido. Meu grande desejo era que Saddleback tivesse um lar permanente.

Ao longo dos anos, tentamos comprar terrenos, e toda vez que surgia uma possível oportunidade de negócio nossos membros fiéis doavam de bom grado e sacrificialmente para o fundo destinado à construção. Mas nenhum dos negócios deu certo, em grande parte porque os bancos não queriam fazer um empréstimo para uma igreja que não tinha nenhuma propriedade! Por fim, depois de dez anos, conseguimos comprar um terreno em Orange County, na Califórnia, e pensei que a longa espera tivesse chegado ao fim. No entanto, ainda havia mais drama pela frente. Não obtivemos autorização da prefeitura para construir por causa de questões ambientais. Finalmente havíamos conseguido um terreno, mas não podíamos fazer nada com ele.

Durante anos, Rick trabalhou incansavelmente com a equipe da igreja responsável por essa área, com os funcionários da prefeitura, com os bancos e com possíveis doadores. Permaneceu otimista e animado, não importava que reveses e decepções acontecessem, e seu otimismo me manteve firme por um bom tempo. Jamais me esquecerei, porém, do dia em que ele voltou para casa depois de outra reunião e disse que tinha péssimas notícias. Depois de dois anos de espera, a prefeitura tinha adiado por tempo indefinido a autorização para começarmos a construir.

Não tenho orgulho do que aconteceu em seguida; foi feio. Perdi as estribeiras. Gritei. Disse aos berros para Rick:

— Você foi legal demais com esse pessoal! *Eu* vou à prefeitura. Vou puxá-los pela gravata e gritar na cara deles até que liberem o terreno! Você não fez o que precisava!

Rick foi sábio e se afastou da fera ensandecida em que eu havia me transformado; não tinha nada que ele pudesse dizer ou fazer para acalmar minha erupção vulcânica.

Então, arrastei-me para o escritório de casa e continuei meu ataque de nervos, mas dessa vez o alvo foi Deus. Atirei acusações amarguradas contra ele: "O Senhor está brincando conosco. Tentamos agir corretamente. Tentamos ter fé. Confiamos no Senhor. Acreditamos no Senhor. Fizemos tudo nos conformes. E essa é nossa recompensa? É assim que o Senhor nos trata? Chega dessa brincadeira sem graça, Deus. Cansei dela!".

Depois de me amargurar com Deus, fiquei ressentida e invejosa de outros pastores e de suas igrejas. Com sarcasmo e fúria mordazes, lembrei a Deus que Byll Hybels e a Igreja Willow Creek tinham terreno. Chuck Smith e a Igreja Calvary Chapel em Costa Mesa tinha terreno e templo. Disse-lhe que Adrian Rogers, então pastor da Igreja Belleview, em

Nashville, tinha mais de oitocentos mil metros quadrados. E perguntei: "Por que ele precisa de oitocentos mil metros quadrados? Tome uma parte do terreno dele e entregue-a para nós". Estava sendo absurda. Completamente irracional. E extremamente egocêntrica.

Depois do chilique, depois de sacudir meus punhos para Deus e de acusá-lo, em outras palavras, de amar todo mundo mais do que nos amava, o Senhor fez o que ele faz tantas vezes: encaminhou-me para sua Palavra. "Vá para João 21." Na quietude depois de meu acesso de raiva, li o famoso diálogo entre Jesus e Pedro. Repetidas vezes Jesus pergunta a Pedro se ele o ama. Sei que você se lembra do texto. Pedro fica um tanto magoado e responde, vez após vez: "Sim! Eu o amo!". E Jesus diz, a cada vez: "Cuide de minhas ovelhas".

Em geral, paramos de ler nesse ponto, pois o diálogo deles tem profunda relevância para o amor e o serviço. Deixamos de fora o restante do diálogo. Naquele dia, porém, foi o final da conversa entre Jesus e Pedro que transpassou meu coração:

> "Eu lhe digo a verdade: quando você era jovem, podia agir como bem entendia; vestia-se e ia aonde queria. Mas, quando for velho, estenderá as mãos e outros o vestirão e o levarão aonde você não quer ir." Jesus disse isso para informá-lo com que tipo de morte ele iria glorificar a Deus. Então Jesus lhe disse: "Siga-me".
>
> Pedro se virou e viu atrás deles o discípulo a quem Jesus amava, aquele que havia se reclinado perto de Jesus durante a ceia e perguntado: "Senhor, quem o trairá?". Pedro perguntou a Jesus: "Senhor, e quanto a ele?".
>
> Jesus respondeu: "Se eu quiser que ele permaneça vivo até eu voltar, o que lhe importa? Quanto a você, siga-me".
>
> João 21.18-22

A pergunta "o que lhe importa?" foi como um soco no estômago, e me reclinei na cadeira, finalmente muda. Depois de gritar, me esgoelar e acusar Deus de todas as coisas horríveis que consegui imaginar, ele respondeu gentilmente: "Kay, que lhe importa se eu permitir que todas as igrejas na face da terra adquiram um terreno e construam um templo, menos a Saddleback? Ainda assim você me seguirá?".

Essa pergunta matou minha argumentação. Acabou com todas as minhas acusações. Apagou minhas dúvidas e minha hostilidade contra Deus. Revelou meu coração e me permitiu ver a feiura e a atitude exigente que haviam se alojado dentro dele. Um espírito de expectativa tinha lançado raízes distorcidas e estavam dando frutos danificados. Na verdade, eu tinha dito para Deus: "Eu o servirei se fizer aquilo que quero. Eu o servirei se me der aquilo de que me considero merecedora. Eu o servirei se responder às minhas orações como imagino que devem ser respondidas. Eu o servirei se me tratar como acredito que devo ser tratada. Eu o servirei, o seguirei e cuidarei de suas ovelhas. Mas, Deus, se não me tratar de modo justo, não quero nada com o Senhor; estou fora".

A resposta sussurrada pelo coração que Deus disciplinou naquele dia foi: "Sim, eu o seguirei não importa o que aconteça. Mesmo que todas as igrejas no mundo tenham terrenos e templos, menos a Saddleback, pertenço ao Senhor. Eu o servirei até morrer".

A réplica de Jesus a suas acusações amarguradas, hostis e enfurecidas é exatamente a mesma: "Minha querida, o que lhe importa? Se eu permitir que continue a enfrentar essa situação com a qual você se imagina incapaz de lidar por mais um dia sequer, essa situação aparentemente insuportável e que, a seu ver, irá destruí-la, ainda assim me seguirá?". Ou

"Se eu não responder a suas orações da forma como você está suplicando para que eu responda, se esses anseios tão profundos e inerentes de seu coração não forem atendidos para o resto de sua vida, ainda assim me seguirá?". Ou "Se eu atender à oração dela de uma forma e a sua de outra, e se ela receber aquilo que você tanto deseja, e você não, ainda assim me seguirá?". Sua resposta também precisa ser: "Sim, eu o seguirei, não importa o que aconteça ou deixe de acontecer. Mesmo que o Senhor permita na vida dela algo que jamais permitirá em minha vida. Mesmo que o Senhor permita em minha vida algo com que ela não terá de lidar. Eu o seguirei. Eu o servirei até a morte".

Claro que nunca termina com um momento isolado de rendição total. Dizer "sim" para Deus deve se tornar nossa atitude habitual em relação a ele, mesmo que precisemos repetir esse "sim" uma centena de vezes por dia. Os momentos de rendição se acumulam uns sobre os outros até que nossa obstinação seja quebrada e domada como um cavalo selvagem sob o terno controle de seu cavaleiro.

Esse "sim" momentoso para Deus no início de nosso ministério, seguido de décadas de sucessivas reafirmações de rendição permitiu que meu coração angustiado dissesse em 5 de abril de 2013: "Até mesmo se Matthew não for curado aqui na terra, serei sua. Eu o servirei até morrer".

É isso que significa ter uma perspectiva eterna. É o que significa crer que Deus é bom e digno de confiança em todas as circunstâncias de sua vida e de seu ministério. É o que a manterá firme até o dia em que Jesus vier buscá-la. É o que lhe permitirá terminar bem.

12
Termine bem

> Ó gloriosa ressurreição! Ó Deus de Abraão e de todos os nossos pais, os crentes de todas as eras confiaram em ti, e nenhum deles esperou em vão. E, agora, firmo em ti minhas esperanças.
>
> Idelette Storder de Bure Calvino,
> esposa de João Calvino

Uma amiga sábia me ensinou a enfrentar cada situação com o propósito em mente e perguntar: "O que estou tentando fazer? O que espero realizar?". Se mantiver o propósito em mente a todo tempo, minhas escolhas, decisões, estratégias, planos e ações se basearão naquilo que será necessário fazer para cumpri-lo. No capítulo 3, defini sucesso no ministério como viver com integridade, entusiasmo e compromisso de tornar-se semelhante a Cristo; amar sua igreja, sua Palavra e seu mundo e as pessoas que ele criou; crescer em todas as áreas da vida; desenvolver dons; e, acima de tudo, terminar bem. Se terminar bem é o propósito em mente, é de suma importância entender o que será preciso fazer para cumpri-lo.

> *Em uma corrida física, há somente um vencedor, mas em nossa corrida espiritual todos os participantes recebem um prêmio; o que está em jogo é a* qualidade *do prêmio.*

Se usarmos a metáfora atlética da qual Paulo parecia gostar tanto, é fácil identificar semelhanças entre completar com sucesso uma corrida e a vida no ministério. Se você já assistiu a um evento de atletismo, sabe que todo corredor deseja começar bem, pois a largada muitas vezes determina quem será o vencedor. É fundamental correr dentro do máximo de sua habilidade, ciente de onde estão os outros corredores, mas também de olho na linha de chegada. O mais importante, porém, é chegar primeiro. Em uma corrida física, há somente um vencedor, mas em nossa corrida espiritual todos os participantes recebem um prêmio; o que está em jogo é a qualidade do prêmio. Em nossa corrida espiritual, queremos terminar bem, com a convicção de que investimos tempo, energia e entusiasmo de tal modo que ouviremos o Mestre dizer: "Muito bem". Como saber, deste lado da eternidade, que estamos correndo de forma agradável a Deus? O que significa terminar bem numa cultura que preza pelo sucesso visível?

A multidão

Os capítulos 11 e 12 de Hebreus trazem instruções para quem deseja viver bem e terminar bem. Não sou a primeira a encontrar inspiração nessa passagem, mas ela adquiriu significado especial para mim desde que Matthew faleceu, provavelmente porque a morte dele me levou a reavaliar as implicações de uma vida de fé. Estudei a vida dos homens e das mulheres mencionados em Hebreus 11.1-40, a "Galeria da Fama" de Deus, que, pela fé,

> conquistaram reinos, governaram com justiça e receberam promessas. Fecharam a boca de leões, apagaram chamas de fogo e

> escaparam de morrer pela espada. Sua fraqueza foi transformada em força. Tornaram-se poderosos na batalha e fizeram fugir exércitos inteiros. Mulheres receberam de volta seus queridos que haviam morrido.
>
> Hebreus 11.33-35

Esses indivíduos — Abel, Enoque, Noé, Abraão, Isaque, Jacó, José, Moisés, Raabe, Gideão, Baraque, Sansão, Jefté, Davi, Samuel e os profetas — são, verdadeiramente, heróis dignos de admiração e respeito.

O que se destaca para mim hoje em dia, porém, é o grupo menor, os homens e mulheres anônimos mencionados apenas como "outros". Esses outros

> foram torturados, recusando-se a ser libertos, e depositaram sua esperança na ressurreição para uma vida melhor. Alguns foram alvo de zombaria e açoites, e outros, acorrentados em prisões. Alguns morreram apedrejados, outros foram serrados ao meio, e outros ainda, mortos à espada. Alguns andavam vestidos com peles de ovelhas e cabras, necessitados, afligidos e maltratados. Este mundo não era digno deles. Vagaram por desertos e montes, escondendo-se em cavernas e buracos na terra.
>
> Hebreus 11.35-38

Não sabemos coisa alguma sobre eles além dessas poucas palavras. Sua vida é desconhecida para nós hoje, e não temos como acrescentar nomes ou detalhes a sua história, mas Deus lhes conferiu um papel que ultrapassou a vida deles.

Hebreus 12.1 nos instrui:

> Portanto, uma vez que estamos rodeados de tão grande multidão de testemunhas, livremo-nos de todo peso que nos torna

> vagarosos e do pecado que nos atrapalha, e corramos com perseverança a corrida que foi posta diante de nós.

Quem faz parte dessa grande multidão de testemunhas que nos rodeia? Não apenas os grandes e renomados heróis da fé, mas também os outros fiéis, apresentados sem nome e sem alarde, que não construíram uma arca, nem se tornaram pai de uma nação, nem salvaram Israel da fome, nem guiaram os israelitas pelo deserto, nem viram os muros de Jericó desabar, nem realizaram outros feitos grandiosos e impressionantes. Esses irmãos e irmãs anônimos são ainda mais importantes para mim porque não viram a vitória, não experimentaram o livramento, não receberam o milagre. Aliás, em vez de receber aplausos ou alcançar sucesso visível, tiveram de continuar a crer e apegar-se a sua fé em meio a enormes dificuldades: não tinham onde morar, foram sujeitados a tortura e castigos cruéis, sofreram pobreza e perseguição e tiveram uma morte agonizante. Não damos muita atenção a eles em nosso cristianismo de fórmulas em que A + B = C, o tipo de cristianismo segundo o qual se você tiver fé suficiente, será curada, liberta ou receberá o milagre que pediu. Não costumamos colocar essas pessoas no palco para dar testemunho porque seus relatos não são histórias de "sucesso". Preferíamos ouvir palavras de alguém como Moisés, ou Gideão, ou mesmo Raabe, do que de uma irmã ou um irmão desconhecido cuja vida interior de sofrimento nos incomoda e desafia a definição aceita de viver pela fé.

Não espero que incrédulos usem os parâmetros corretos para avaliar uma vida de fé, mas os cristãos certamente devem fazê-lo. E, de acordo com os parâmetros de Hebreus 11:

> Somos pessoas de fé quando cremos, e coisas miraculosas acontecem.

Somos pessoas de fé quando cremos, e coisas miraculosas não acontecem.
Somos pessoas de fé quando nosso nome aparece na Galeria da Fama.
Somos pessoas de fé quando permanecemos anônimas e invisíveis.
Somos pessoas de fé quando atravessamos a linha de chegada com braços erguidos em sinal de vitória, suadas e exaustas, mas em pé.
Somos pessoas de fé quando atravessamos a linha de chegada a passos cautelosos e lentos por causa de enfermidades ou esforço.
Somos pessoas de fé quando nos arrastamos por sobre a linha de chegada, com mãos e joelhos ensanguentados pelas aflições da corrida.

O que significa, portanto, viver bem e terminar bem?

Uma coisa é certa: se imaginamos que viver bem e terminar bem dizem respeito apenas a receber sinais exteriores da aprovação de Deus, não entendemos o valor elevado que Deus atribui à fé dos "outros" em Hebreus 11 e de seus irmãos e irmãs desconhecidos hoje em dia.

> Todos eles obtiveram aprovação por causa de sua fé; no entanto, nenhum deles recebeu tudo que havia sido prometido. Pois Deus tinha algo melhor preparado para nós, de modo que, sem nós, eles não chegassem à perfeição.
>
> Hebreus 11.39-40

Eles, juntamente com seus colegas mais conhecidos da Galeria da Fama, não receberam as promessas durante a vida aqui na terra. Tanto aqueles cujo nome é citado quanto os anônimos morreram sem o cumprimento pleno e visível de sua fé. Alguns dos mais famosos alcançaram sucesso terreno e viram Deus operar em sua vida, mas não viram concretizar-se *tudo* o que Deus lhes havia prometido. Tiveram de esperar até além desta vida para alcançar o alvo de sua fé. Se foi difícil para essas pessoas, quanto mais para aquelas que não alcançaram o alvo de sua fé aqui *e* ainda sofreram tremendamente!

De algum modo, esses homens e mulheres corajosos nos cercam das margens da eternidade. Hebreus 12.1 deixa claro que não estamos sozinhos nessa corrida. Eles são, por assim dizer, a multidão que torce por nós. Mas não se trata de uma multidão de espectadores passivos que não fazem ideia do quanto a corrida pode se tornar sombria e traiçoeira. São a multidão de campeões que nos incentivam, são *os que atravessaram a linha de chegada*. Não sei o que eles veem e como nos ajudam, mas, no mínimo, quando lembramos que "este caminho cristão que percorro não é uma vereda inexplorada, nunca antes atravessada, mas uma estrada de chão batido pelos passos de santos, apóstolos, profetas e mártires",[1] podemos levantar a cabeça, endireitar os ombros e fortalecer nossa determinação de permanecer neste caminho e continuar a correr.

Um dia, você e eu terminaremos a corrida e nos tornaremos parte da multidão de testemunhas que gritam palavras de ânimo àqueles que ainda estão correndo.

Um dia, você e eu terminaremos a corrida e nos tornaremos parte da multidão de testemunhas que gritam palavras de ânimo àqueles que ainda estão correndo. Fico empolgada de pensar que estarei ao lado das pessoas citadas na Galeria da Fama. Fico ainda mais empolgada de pensar que estarei ao lado dos milhões (senão bilhões) de fiéis anônimos, homens e mulheres que viveram e morreram apegando-se a sua fé com unhas e dentes, contra todas as forças do inferno. Jesus, torna-me digna deles!

Complete a corrida apenas para Jesus

Na sequência, a passagem de Hebreus nos diz como devemos completar a corrida: devemos nos livrar de tudo o que nos torna vagarosos, inclusive dos pecados que nos fazem tropeçar; devemos correr com paciência nossa corrida pessoal; e devemos correr com os olhos fixos em Jesus.

> Portanto, uma vez que estamos rodeados de tão grande multidão de testemunhas, livremo-nos de todo peso que nos torna vagarosos e do pecado que nos atrapalha, e corramos com perseverança a corrida que foi posta diante de nós. Mantenhamos o olhar firme em Jesus, o líder e aperfeiçoador de nossa fé. Por causa da alegria que o esperava, ele suportou a cruz sem se importar com a vergonha. Agora ele está sentado no lugar de honra à direita do trono de Deus. Pensem em toda a hostilidade que ele suportou dos pecadores; desse modo, vocês não ficarão cansados nem desanimados.
>
> Hebreus 12.1-3

No capítulo 4, tratamos em detalhes de como Deus a formou e a moldou de maneira singular para sua corrida pessoal. De acordo com minha amiga maratonista Lyle, é preciso correr de acordo com o tipo de corpo que Deus lhe deu. Seu corpo tem uma forma peculiar, e há uma corrida que só você pode completar.

Do ponto de vista espiritual, você não tem responsabilidade alguma de completar a corrida de outra mulher. Sua responsabilidade diante de Deus é completar a corrida que ele definiu para você, a corrida pessoal para a qual ele a chamou. Ele a formou para completar esta corrida, e nenhuma outra. Quando entendemos a inutilidade de tentar completar uma corrida que não é a nossa, não precisamos mais buscar a aprovação de outros.

Minha irmã, você não pode viver em função da aprovação de ninguém além de Jesus Cristo. Simplesmente não somos capazes de cumprir todas as expectativas dos membros da igreja; jamais conseguiremos agradar todo mundo. Quando você finalmente consegue satisfazer o grupo A, o grupo B fica chateado. Se você se apressa em atender aos desejos do grupo B, corre o risco de gerar insatisfação no grupo A. Então, os grupos C e D aparecem com as expectativas deles, e antes que se dê conta você está desanimada, abatida, exausta, ressentida e tentando fazer mil coisas ao mesmo tempo. Nossa tarefa não é agradar pessoas, mas agradar Jesus e completar nossa corrida exclusivamente para ele.

Nossa tarefa não é agradar pessoas, mas agradar Jesus e completar nossa corrida exclusivamente para ele.

Embora não seja corredora (de jeito nenhum!), identifico-me com essa analogia. Visualize-a comigo. Você está participando de uma corrida, fazendo todo o possível para ter um bom desempenho, evitando buracos e obstáculos no caminho, correndo com eficiência e eficácia e mantendo o foco na linha de chegada. Mas, enquanto corre, começa a ouvir os sussurros e, por vezes, a zombaria da multidão. "Veja aquela ali! Parece uma pata! Onde ela comprou aqueles tênis? São horríveis! De onde tirou a ideia de que vai conseguir terminar?" Se você voltar o olhar para a multidão que a critica, é provável que tropece, perca o equilíbrio e caia de nariz.

Imagine outra situação. Você está em sua corrida, dando o melhor de si. Treinou com dedicação e está se esforçando ao máximo. Ouve as vozes da multidão, mas dessa vez são de incentivo. "Muito bem! Vá em frente! Não desista! Você é incrível!" Se você se voltar para acenar com a cabeça e receber essas afirmações ("Sabe de uma coisa? Sou boa mesmo!"), pode tropeçar, perder o equilíbrio e cair de nariz.

Pouco tempo atrás, fui assistir a quatro de meus netos participarem da corrida anual da escola. Um microcosmo da vida se desdobrou diante de meus olhos. Cole, que está no primeiro ano, resolveu correr o tempo todo a passo rápido, em vez de correr mais devagar, de forma ritmada. Começou na frente do grupo, dando tudo de si, mas depois de uma volta ou duas ele desacelerou. Cada vez que passava por nós, a mãe dele e eu gritávamos incentivos, mas dei-me conta de que não havíamos lhe explicado que não devia *olhar* para nós ao passar. Ouvia nossa voz e voltava a cabeça para nos procurar no meio da multidão e, em mais de uma ocasião, pensei que ele fosse cair. No meio do emaranhado de crianças, cada uma correndo a uma velocidade diferente, ele tropeçou, mas conseguiu recuperar o equilíbrio. Não teria feito diferença se houvéssemos gritado incentivos ou insultos. Se ele tivesse caído enquanto olhava para nós em vez de manter os olhos fixos na linha de chegada, o resultado teria sido o mesmo.

A multidão de apoiadores pode ser uma distração tão grande quanto os críticos que zombam de nós. Não importa se tropeçamos por desânimo ou por orgulho; de qualquer modo, acabamos com a cara no chão. A lição é simples: precisamos nos fazer de surdas tanto para os críticos como para os apoiadores. Precisamos nos concentrar na linha de chegada ou, como diz o autor de Hebreus, manter "o olhar firme em Jesus".

Quando não dá para avistar a linha de chegada

Se desejamos terminar bem na vida e no ministério, precisamos crer e nos apegar à fé quando outros na corrida se opuserem a nós e nos criticarem, quando imaginarmos que não temos mais como continuar e que nossas forças se acabaram, quando os obstáculos no caminho ameaçarem nos derrubar, quando o sol brilhar e quando a chuva cair, quando tivermos nos perdido momentaneamente, e acima de tudo quando não conseguirmos avistar a linha de chegada.

Marla Runyan representou os Estados Unidos na corrida de 1.500 metros nos Jogos Olímpicos de Sydney, Austrália, em 2000. Na época, Marla tinha 31 anos e degeneração macular, o que significa que só conseguia enxergar formas e cores. Sentia quando havia outros perto dela quando corria. Havia participado anteriormente dos Jogos Paralímpicos, e essa era sua primeira oportunidade de competir nas Olimpíadas. Vi por acaso sua corrida preliminar, depois da qual ela deu uma entrevista. O repórter perguntou:

— Como você faz? Descreva como é correr sem enxergar.

Ela respondeu:

— Naqueles últimos metros, eu faço a curva e percebo que estou correndo em direção a uma linha de chegada que não consigo avistar. Mas não importa, não desacelero por nada.

O versículo que adotei para minha vida resume o que procuro fazer aqui, nos anos que Deus me der: quero completar a tarefa que Jesus me deu e terminar minha corrida.

> Mas minha vida não vale coisa alguma para mim, a menos que eu a use para completar minha carreira e a missão que me foi confiada pelo Senhor Jesus: dar testemunho das boas-novas da graça de Deus.
>
> Atos 20.24

Você e eu estamos correndo em direção a uma linha de chegada que não conseguimos avistar. Se uma mulher que compete em um evento esportivo não desacelera só porque é difícil, só porque não consegue avistar o fim, também não vou desistir de minha corrida espiritual. Não precisamos ver a linha de chegada. Marla declarou: "Não consigo enxergá-la, mas está lá". Você e eu não conseguimos enxergá-la, mas está lá. Portanto, corra minha irmã, corra, fortalecida pela multidão de testemunhas que nos cerca a cada passo. Não deixe que ninguém a impeça de olhar firmemente para o rosto de Jesus. Ignore os críticos; dar atenção a eles "matará" seu espírito. Você vai conseguir. Não importa se saltar sobre a linha de chegada ou atravessá-la se arrastando; você vai conseguir. Continue a manter o olhar fixo naquele que a ama intensamente e corra direto para Jesus.

Você e eu estamos correndo em direção a uma linha de chegada que não conseguimos avistar.

Termino com esta oração de meu livro predileto de orações, *A Diary of Private Prayer* [Diário de oração pessoal], de John Baillie:

> Ó Senhor, meu Deus, ajoelho-me diante de ti em humilde adoração antes de sair para enfrentar as tarefas e responsabilidades de um novo dia. Agradeço-te pela bendita certeza de que não serei chamado a enfrentá-las sozinho ou com minhas próprias

forças, mas serei, a todo tempo, acompanhado de tua presença e fortalecido por tua graça. Agradeço-te porque toda nossa vida humana é atravessada pelas pegadas de nosso Senhor e Salvador Jesus Cristo, que por amor a nós se fez carne e experimentou todas as mudanças de nossa condição mortal. Agradeço-te pelas muitas presenças espirituais pelas quais serei cercado hoje ao realizar meu trabalho. Pelas hostes celestes, pelos santos que descansam de seus labores, pelos patriarcas, profetas e apóstolos, pelo nobre exército de mártires, por todos os homens santos e humildes de coração, por meus queridos amigos falecidos, especialmente por ______ e ______. Bendigo e adoro teu grande nome. Alegro-me, ó Deus, porque me chamaste para ser membro da Igreja de Cristo. Permite que a consciência dessa comunhão santa me siga por onde eu for, animando-me na solitude, protegendo-me na companhia de outros, fortalecendo-me contra a tentação e incentivando-me a toda obra justa e caridosa.[2]

Agradecimentos

Quero agradecer a quatro esposas de pastor que são uma inspiração para mim.

Minha mãe, Bobbie Lawson Lewis, cuja convicção de que "o ministério é um privilégio" foi fundamental para minha formação como mulher, cristã e, agora, esposa de pastor. Ela estabeleceu um padrão extremamente elevado pelo modo sacrificial com que amou Jesus, a Palavra de Deus, meu papai pastor, nossa família e as igrejas em que serviu por mais de cinquenta anos. Se existiu uma esposa de pastor ideal, foi ela. Você é simplesmente *o máximo*, Mamãe, e jamais poderei lhe agradecer o suficiente por ter praticado sua fé de modo visível para mim — imperfeitamente, é claro, mas com sinceridade, profundidade e fidelidade. Devo a você e Papai o desejo de me dedicar ao ministério em tempo integral. O mal de Alzheimer pode estar roubando suas memórias, mas ainda vejo *você*. E a amo imensamente!

Minha sogra querida, Dorothy Armstrong Warren, cujo espírito generoso me ensinou tudo o que eu precisava saber sobre ter o coração e o lar abertos na vida e no ministério. Ela se dedicou de bom grado às pequenas igrejas em que serviu por mais de cinquenta anos com Jimmy, pai de Rick. Depois de me acolher em um abraço da primeira vez que nos vimos, cultivou nosso relacionamento afetuoso ao chamar-me de sua nora do coração até falecer em 1996. Amo você, Dot, e sinto sua falta. Não vejo a hora de receber seu abraço caloroso e apertado outra vez!

Minha cunhada querida, Chaundel Warren Holladay, é a irmã que eu ansiava ter quando menina. Formamos laços de amizade tão logo nos conhecemos, quando tínhamos 16 e 19 anos, respectivamente, e nada jamais poderá abalar nossa devoção uma à outra. Temos personalidades diametralmente opostas (ela é ainda mais extrovertida que Rick), e ela tem uma inteligência do tamanho da lua (a minha cabe em nosso quintal). Permaneceu ao meu lado em meio às alegrias e tristezas e é intensamente leal a mim. Como esposa de pastor, continua a dar o exemplo de receptividade e hospitalidade que aprendeu de seus pais, e as esposas dos pastores da Igreja Saddleback recebem dela o mais terno cuidado. Amo você com imenso carinho, irmã preciosa do meu coração.

Meus agradecimentos principalmente a minha filha Amy Warren Hilliker, que vive radicalmente apaixonada por Jesus, sua Palavra, sua igreja em geral e a Igreja Saddleback em especial. Seria fácil para ela distanciar-se de tudo o que vivenciou durante a infância e adolescência com mamãe e papai — afinal, somos imperfeitos e cometemos um bocado de erros — e, no entanto, ela persevera e trabalha em prol da saúde e da vitalidade espiritual de nossa igreja. É a mulher mais valente que conheço, criando corajosamente três filhos com doença de Lyme, enfermidade contra a qual ela própria luta. Minha filha me ensina, todos os dias, lições sobre sacrifício, compromisso e obediência em meio a dificuldades, esperança de dias melhores, alegria no presente e como jamais desistir. Amo você, Amy querida!

Para Josh: Você é um homem que segue Jesus de perto, mesmo quando não é fácil, divertido ou agradável. Amo o homem que você é, meu filho, e o homem que está se tornando. Obrigada por seu incrível apoio diário, especialmente quando estou escrevendo. Você é o melhor agente literário que eu poderia desejar: cuida de mim e coordena os projetos dos livros do começo ao fim. Quando trabalhamos juntos, sei que estou em boas mãos! Amo você para sempre.

E para Rick: Eu o conheci quando você tinha 17 anos. Era alto e magricelo, tinha cabelos loiros encaracolados, óculos de John Lennon, espinhas e longos braços e pernas. Também era espalhafatoso (muito!), engraçado, sabia tocar violão e fazia uma imitação perfeita de Billy Graham. Tinha uma personalidade mais que extrovertida. Era louco por Jesus e constrangedoramente ousado em seu testemunho e em seu desejo de ver pessoas conhecerem a Cristo. Ninguém que o conheceu naquela época poderia esquecer sua velha *van*, literalmente *coberta* de adesivos de Jesus. Também não poderia esquecer o caixão (aliás, onde vocês o arranjaram?) que você e Danny Daniels prendiam no alto da *van* e de dentro do qual saltavam como ilustração evangelística. Nem os testemunhos que você dava na rua, gritando: "Jesus ama você mais do que seu namorado a ama!" para casais assustados que passavam inocentemente na calçada — testemunhos que horrorizavam esta adolescente introvertida e tímida.

Dali em diante você baixou um pouco a bola à medida que amadureceu e saiu da adolescência. Que bom, pois seria *impossível* eu me casar com um homem que saltava de dentro de um caixão ou que, no Natal, visitava bares vestido de Papai Noel para falar de Jesus aos bêbados! Sua paixão por Jesus e pelo evangelismo continuou intensa, mas felizmente você aprendeu maneiras socialmente mais aceitáveis de compartilhar sua fé. Resolveu até ir para o seminário depois que se formou na faculdade, uma decisão ponderada com seriedade, pois, afinal, Jesus não tinha ido para o seminário, e o apóstolo Paulo também não. Se eles não precisaram "perder" tempo nos corredores enfadonhos, tradicionais e elitizados dos meios acadêmicos, por que você precisaria? Pessoas estavam morrendo e indo para o inferno todos os dias. Estudar no seminário parecia um exercício inútil sobre o que você "deveria" fazer, em vez daquilo que jovens pregadores fervorosos eram chamados a fazer: pregar o arrependimento!

No fim das contas, você amou o seminário, onde, para seu espanto, os professores eram instruídos e piedosos, incentivaram seu zelo e o equiparam com conhecimento bíblico. E foi ali que nasceu o sonho de plantar uma igreja. Sua experiência no seminário afetou radicalmente o rumo de nossa vida, e sou eternamente grata por isso. Você desenvolveu a visão de alcançar pessoas que não tinham interesse nas igrejas tradicionais ou não tinham espaço dentro delas. E, embora a princípio imaginássemos que seríamos missionários em outro país, Deus nos chamou para nos tornarmos "missionários" para os jovens profissionais ricos, indiferentes e com pouco acesso ao evangelho no sul da Califórnia. Deus tem senso de humor, visto que nós dois éramos caipiras do interior, muito diferentes das pessoas que fomos chamados a pastorear na opulenta Orange County, na Califórnia. E, no entanto, o chamado de Deus foi claro e inquestionável. Portanto, saímos de Fort Worth, Texas, e voltamos para nossas raízes californianas — você, eu e nossa bebezinha de quatro meses, Amy Rebecca, sem um templo, sem membros e sem dinheiro. Assim que chegamos, você parou de vestir calças *jeans*, camisa esportiva e botas e começou a usar terno completo, com camisa branca, colete e gravata. Como eu disse, Deus tem senso de humor.

E, agora, a Igreja Saddleback está prestes a comemorar quarenta anos desde que a iniciamos na sala de estar de nosso apartamento alugado em 1980. Como é possível? Como quatro décadas passaram tão rápido? Em algum momento ao longo do caminho, eu pisquei. É só olharmos de relance no espelho e vemos, sem sombra de dúvida, que lá se foram quase quarenta anos. Creio que seu visual passou por transformações mais radicais que o meu. Sempre tive um estilo clássico e recatado, mas você trocou o terno e colete pelas camisas havaianas berrantes. Depois calças cáqui e sapatos *dockside*, seguidos de camisetas, *jeans* e tênis All Star. Agora, o rapaz "crentão", alto, magricelo e de cabelo longo tem cabelo loiro curto, óculos elegantes, *jeans* bem modelados e camisa xadrez (espero que a próxima moda chegue logo, pois já estamos cansados de camisa xadrez) em um corpo mais robusto!

Em meio a tudo — tudo *mesmo* — você tem sido a fonte de meu amor mais profundo e de minha maior frustração (lembre-se de que somos completamente opostos). Quando o conheci, soube que você era realmente singular e, 45 anos depois, continua a ser a pessoa mais singular que conheço. É uma mistura de virtudes e fraquezas, e permanecer ao seu lado e ver Deus lentamente desfazer os nós e usar sua vida para expandir o reino dele foi uma das maiores honras que já tive. Começar uma família com você, começar a Saddleback com você, sonhar, planejar, fazer sacrifícios, criar, crescer, lutar, perdoar, rir, chorar, lamentar as perdas, perseverar e cultivar esperança com você... quem poderia pedir algo mais?

Você, meu querido esposo, me ensinou mais sobre como cuidar de uma igreja que qualquer curso, livro, congresso ou pastor. Ser sua esposa, criar Amy, Josh e Matthew, servir a

Jesus lado a lado com você na Saddleback, é tudo que eu poderia desejar desta vida.

Obrigada por acreditar em mim quando não vi os dons e as aptidões em mim mesma; por me empurrar para *bem* longe de minha zona de conforto; por criar oportunidades de serviço e ministério para mim na igreja; por remover obstáculos que, a seu ver, não eram justos; por adaptar-se de modo que Deus pudesse ministrar por meu intermédio; e por ser humilde o suficiente para pedir minha opinião e minhas ideias e aprender comigo. Obrigada por não se acanhar de eu contar nossa história inteira, com tudo o que tem de melhor e de pior. Você é um excelente homem, Rick Warren; é estonteante saber que você é meu!

Minha equipe da organização Acts of Mercy [Atos de misericórdia] é constituída de mulheres extremamente amorosas e dedicadas que servem a Jesus de todo o coração. Sua paixão por pessoas que vivem com transtornos mentais é fonte constante de inspiração para mim. Joy, Jeanne, Ashley, Lauren, Laura e Nancy, não tenho como lhes agradecer o suficiente por todo o seu apoio durante o processo de redação deste livro. Obrigada pelas orações, pesquisas, bolos no meio da tarde, risadas de minhas piadas bobas, paciência com meus dramas e por me dizerem que eu era capaz nos dias em que essa tarefa me pareceu impossível. Sua amizade e parceria no ministério são de valor inestimável.

Nenhum autor é capaz de trabalhar sozinho, e não sou exceção. Sinceros agradecimentos aos colaboradores dedicados e competentes da editora Revell, especialmente a Andrea Doering e Twila Bennet. Vocês facilitam minha vida, acalmam meus medos, me oferecem conselhos extremamente proveitosos e transformam minha visão em realidade! É sempre um prazer trabalhar com vocês em um projeto editorial.

Recursos recomendados

Ansiedade, estresse, esgotamento

Hart, Dr. Archibald D. *Adrenaline and Stress: The Exciting New Breakthrough That Helps You Overcome Stress Damage*. Dallas, TX: World Publishing, 1995.

Scazzero, Peter. *Espiritualidade emocionalmente saudável: Desencadeie uma revolução em sua vida com Cristo*. São Paulo: United Press, 2013.

______. *O líder emocionalmente saudável: Como a transformação de sua vida interior transformará sua igreja, sua equipe e o mundo*. São Paulo: United Press, 2016.

Simpson, Amy. *Anxious: Choosing Faith in a World of Worry*. Downers Grove, IL: InterVarsity, 2014.

Casamento e ministério

Buckingham, Michele. *Help! I'm a Pastor's Wife*. Nashville, TN: Thomas Nelson, 1992.

Dobson, Lorna. *I'm More Than the Pastor's Wife: Authentic Living in a Fishbowl World*. Grand Rapids, MI: Zondervan, 2003.

Dugan, Lynne. *Heart to Heart with Pastors' Wives: Twelve Women Share the Wisdom They've Gained as Partners in Ministry*. Grand Rapids, MI: Baker Books, 1994.

Floyd, Jeana. *10 Things Every Minister's Wife Needs to Know*. Green Forest, AR: New Leaf Press, 2010.

LEE, Cameron. *Life in a Glass House: The Minister's Family in Its Unique Social Context*. Pasadena, CA: Fuller Seminary Press, 2006.

______. *PK: Helping Pastors' Kids through Their Identity Crisis*. Grand Rapids, MI: Zondervan, 1992.

LONDON, H. B.; WISEMAN, Neil. *Married to a Pastor's Wife: A Read-Together, Write-Together Book to Help Pastoral Couples Survive Ministry Risks*. Wheaton, IL: Victor Books, 1995.

______. *Pastors at Greater Risk: Real Help for Pastors from Pastors Who've Been There*. Grand Rapids, MI: Baker Books, 2003.

MACDONALD, Gail. *High Call, High Privilege: A Pastor's Wife Speaks to Every Woman in a Place of Responsibility*. Peabody, MA: Hendrickson, 1998.

RAY, Charles; SPURGEON, Susannah. *Susannah Spurgeon: Free Grace and Dying Love*. Edinburgh: Banner of Truth, 2006.

SCAZZERO, Geri. *I Quit! Stop Pretending Everything Is Fine and Change Your Life*. Grand Rapids, MI: Zondervan, 2011.

WILHITE, Lori; WILSON, Brandi. *Leading and Loving It: Encouragement for Pastors' Wives and Women in Leadership*. Nova York: FaithWords, 2013.

Conversa com os filhos sobre sexo

BIMLER, Rich. *Sex and the New You*. St. Louis, MO: Concordia Publishing, 2015.

BURNS, Jim. *The Purity Code: God's Plan for Sex and Your Body*. Minneapolis, MN: Bethany House Publishers, 2008.

BUTH, Lenore. *How to Talk Confidently with Your Child about Sex: For Parents (Learning about Sex)*. St. Louis, MO: Concordia Publishing, 2015.

CHU, Jeff. *Does Jesus Really Love Me? A Gay Christian's Pilgrimage in Search of God in America*. Nova York: Harper, 2014.

MCKEE, Jonathan. *More Than Just the Talk: Becoming Your Kids' Go-To Person about Sex*. Minneapolis, MN: Bethany House Publishers, 2015.

______. *Sex Matters*. Minneapolis, MN: Bethany House Publishers, 2015.

PENNER, Dr. Clifford e Joyce. *Sex Facts for the Family*. Nashville, TN: W Publishing, 1992.

SPRINKLE, Preston. *Living in a Gray World: A Christian Teen's Guide to Understanding Homosexuality*. Grand Rapids, MI: Zondervan, 2015.

STANLEY, Andy. *The New Rules for Love, Sex, and Dating*. Grand Rapids, MI: Zondervan, 2015.

Depressão

MARCHENKO, Gillian. *Still Life: A Memoir of Living Fully with Depression*. Downers Grove, IL: InterVarsity, 2016.

SHEFFIELD, Anne. *How You Can Survive When They're Depressed: Living and Coping with Depression Fallout*. Nova York: Three Rivers Press, 1998.

STRAUSS, Claudia J. *Talking to Depression: Simple Ways to Connect When Someone in Your Life Is Depressed*. Nova York: New American Library, 2004.

Luto

GRIPPO, Daniel. *Quando mamãe ou papai morre: Um livro para consolar as crianças*. São Paulo: Paulus, 2009.

GUTHRIE, David; GUTHRIE, Nancy. *When Your Family's Lost a Loved One: Finding Hope Together*. Colorado Springs: Focus on the Family, 2008.

GUTHRIE, Nancy. *Hearing Jesus Speak into Your Sorrow*. Carol Stream, IL: Tyndale Momentum, 2009.

HAUGK, Kenneth C., PhD. *Don't Sing Songs to a Heavy Heart: How to Relate to Those Who Are Suffering*. St. Louis, MO: Stephen Ministries, 2004.

HSU, Albert. *Superando a dor do suicídio*. São Paulo: Vida, 2003.

LEWIS, C. S. *A anatomia de uma dor: Um luto em observação*. São Paulo: Vida, 2006.

NOUWEN, Henri J. M. *Transforma meu pranto em dança: Cinco passos para sobreviver à dor e redescobrir a felicidade*. Rio de Janeiro: Thomas Nelson Brasil, 2007.

SITTSER, Jerry. *A Grace Disguised: How the Soul Grows through Loss*. Grand Rapids, MI: Zondervan, 2004.

WEEMS, Ann. *Psalms of Lament*. Louisville, KY: Westminster John Knox, 1995.

Saúde mental

AMADOR, Xavier, PhD. *I Am Not Sick, I Don't Need Help! How to Help Someone with Mental Illness Accept Treatment*. Peconic, NY: Vida Press, 2011.

AMEN, Daniel G. *Transforme seu cérebro, transforme sua vida: Um programa revolucionário para vencer a ansiedade, a depressão, a obsessividade, a raiva e a impulsividade*. São Paulo: Mercuryo, 2000.

BEACH, Shelly; SANCHEZ, Wanda. *Love Letters from the Edge: Meditations for Those Struggling with Brokenness, Trauma, and the Pain of Life*. Grand Rapids, MI: Kregel, 2014.

RENNEBOHM, Craig; PAUL, David. *The Companionship Series (#1: Mental Health Ministry: An Introduction, #2: The Way of Companionship: Welcoming the Stranger, and #3: Organizing a Congregational Mental Health Team)*. Seattle, WA: Mental Health Chaplaincy, 2012.

SIMPSON, Amy. *Troubled Minds: Mental Illness and the Church's Mission*. Downers Grove, IL: InterVarsity, 2013.

STANFORD, Matthew S., PhD. *Grace for the Afflicted: A Clinical and Biblical Perspective on Mental Illness*. Downers Grove, IL: InterVarsity, 2008.

SWINTON, John. *Resurrecting the Person: Friendship and the Care of People with Mental Health Problems*. Nashville, TN: Abingdon, 2000.

Saúde mental: crianças e adolescentes

PURVIS, Karyn B., PhD; CROSS, David R., PhD; SUNSHINE, Wendy Lyons. *The Connected Child: Bring Hope and Healing to Your Adoptive Family*. Nova York: McGraw-Hill Education, 2007.

PURVIS, Karyn B., PhD; STYFFE, Elizabeth. *The Connection: Where Hearts Meet Small Group Study*. Série de DVDs.

SIEGL, Daniel J., MD; BRYSON, Tina Payne, PhD. *The Whole Brain Child: 12 Revolutionary Strategies to Nurture Your Child's Developing Mind*. Nova York: Bantam Books, 2012.

YERKOVICH, Milan e Kay. *How We Love Our Kids: The Five Love Styles of Parenting*. Colorado Springs: Waterbrook Press, 2011.

Recomendações de livros gerais

BAKER, John. *Life's Healing Choices: Freedom from Your Hurts, Hangups, and Habits*. Nova York: Howard Books, 2007.

HANNAFORD, Chuck. *Picking Up the Pieces Handbook: Creating a Dynamic Soul-Care Ministry in Your Church*. Nashville, TN: Lifeway Christian Resources, 2009.

LONDON, H. B.; WISEMAN, Neil. *Casada com um pastor: Como permanecer casada e feliz no ministério*. São Paulo: Quadrangular, 2001.

WARREN, Rick, DMin, HYMAN, Mark, MD; AMEN, Daniel, MD. *The Daniel Plan: 40 Days to a Healthier Life*. Grand Rapids, MI: Zondervan, 2013.

YERKOVICH, Milan e Kay. *How We Love: Discover Your Love Style, Enhance Your Marriage*. Colorado Springs: Waterbrook Press, 2008.

Notas

Capítulo 2

[1] Cambridge Academic Content Dictionary (Cambridge, Inglaterra: Cambridge University Press, 2008).

Capítulo 4

[1] C. S. Lewis, *The Lion, The Witch and the Wardrobe* (Nova York: HarperCollins, 2008), p. 80. [Disponível em português sob o título *O leão, a feiticeira e o guarda-roupa*. São Paulo: Martins Fontes, 2010.]

Capítulo 5

[1] David Seamands, *Healing for Damaged Emotions* (Colorado Springs, CO: David C. Cook, 1981), p. 32-33. [Disponível em português sob o título *Cura para os traumas emocionais*. Belo Horizonte: Betânia, 1984.]

[2] Discurso de formatura, Bates College, Lewiston, ME, 4 de junho de 2001.

[3] Henri Nouwen, *Here and Now* (Nova York: Crossroad, 1994), p. 143. [Disponível em português sob o título *Mosaicos do presente: Vida no Espírito*. São Paulo: Paulinas, 1998.]

Capítulo 6

[1] Paul David Tripp, *Whiter Than Snow: Meditations on Sin and Mercy* (Wheaton, IL: Crossway, 2008), p. 32.

[2] Edward Bratcher, *The Walk-on-Water Syndrome* (Nashville, TN: W Publishing, 1984).

[3] Oswald Chambers, *My Utmost for His Highest* (Nova York: Dodd, Mead&Co., 1935), dia 67.

[4] Bratcher, *The Walk-on-Water Syndrome*, p. 40.

[5] Larry Crabb, *Connecting* (Nashville, TN: Thomas Nelson, 1997), p. 147.

Capítulo 7

[1] Gail McDonald, *High Call, High Privilege* (Peabody, MA: Hendrickson, 1998), p. 2.

[2] Charles Swindoll, *Growing Strong in the Seasons of Life* (Grand Rapids, MI: Zondervan, 1983), p. 433.

[3] Gabe Lyons, "A Candid Interview with Eugene Peterson", ChurchLeaders.com, <https://churchleaders.com/pastors/pastor-articles/145302-a-candid-interview-with-eugene-peterson.html>. Acesso em 6 de fevereiro de 2020.

[4] Peter Scazzero, *Emotionally Healthy Spirituality* (Nashville, TN: Thomas Nelson, 2006), p. 163. [Disponível em português sob o título *Espiritualidade emocionalmente saudável*. São Paulo: United Press, 2013.]

Capítulo 8

[1] Lyons, "A Candid Interview with Eugene Peterson", ChurchLeaders.com.

[2] John Gill, *John Gill's Exposition of the Entire Bible* (Seattle, WA: Amazon Digital Services, 2012).

[3] *The Voice Bible* (Nashville, TN: Thomas Nelson, 2012).

[4] Bob Benson, *Laughter in the Walls* (Nashville, TN: Thomas Nelson, 1990).

[5] Elisabeth Elliot, *Through Gates of Splendor* (Wheaton, IL: Tyndale, 1981), p. 20

Capítulo 9

[1] Rick Warren, *Purpose Driven Life: What on Earth Am I Here For?* (Grand Rapids, MI: Zondervan, 2002.) [Disponível em português sob o título *Uma vida com propósitos*. São Paulo: Vida, 2003.]

[2] Edith Schaeffer, *What Is a Family?* (Grand Rapids, MI: Revell, 1975), p. 183.

[3] François Fénelon, *The Seeking Heart* (Jacksonville, FL: SeedSowers, 1992), p. 53.

[4] Michael O'Donnell, *Help! I'm a Pastor's Wife* (Nashville, TN: Thomas Nelson, 1992), p. 48.

Capítulo 10

[1] François Fénelon, *The Seeking Heart* (Jacksonville, FL: SeedSowers, 1992), p. 79.
[2] Idem, p. 49.

Capítulo 11

[1] Dallas Willard, *Living in Christ's Presence* (Downers Grove, IL: InterVarsity, 2014).

Capítulo 12

[1] John Baillie, *A Diary of Private Prayer* (Nova York: Scribner, 2014), p. 25.
[2] Idem, p. 93.

Compartilhe suas impressões de leitura,
mencionando o título da obra, pelo e-mail
opiniao-do-leitor@mundocristao.com.br
ou por nossas redes sociais

Esta obra foi composta com tipografia Adobe Caslon Pro
e impressa em papel Pólen Soft 70 g/m² na gráfica Assahi